S0-BXG-345

Temps d'arrêt pour les leaders

Infographie : Chantal Landry
Correction : Véronique Desjardins
Photos de la couverture : © Andresr,
Mathieu Viennet, Trutta 55 / Shutterstock

Catalogage avant publication de Bibliothèque et Archives nationales du Québec et Bibliothèque et Archives Canada

Luce, Donald
Temps d'arrêt pour les leaders : s'inspirer pour mieux diriger
Traduction de : Time Out for Leaders

1. Leadership - Citations, maximes, etc. 2. Gestion - Citations, maximes, etc. I. McDermott, Brian. II. Titre.

HD57.7.L8214 2008 658.4'092 C2008-940026-7

Pour en savoir davantage sur nos publications,
visitez notre site : **www.edhomme.com**
Autres sites à visiter : www.edjour.com
www.edtypo.com • www.edvlb.com
www.edhexagone.com • www.edutilis.com

DISTRIBUTEURS EXCLUSIFS :

- Pour le Canada et les États-Unis :
MESSAGERIES ADP*
2315, rue de la Province
Longueuil, Québec J4G 1G4
Tél. : 450 640-1237
Télécopieur : 450 674-6237
* filiale du Groupe Sogides inc.,
filiale du Groupe Livre Quebecor Media inc.

- Pour la France et les autres pays :
INTERFORUM editis
Immeuble Paryseine, 3, Allée de la Seine
94854 Ivry CEDEX
Tél. : 33 (0) 1 49 59 11 56/91
Télécopieur : 33 (0) 1 49 59 11 96
Service commandes France Métropolitaine
Tél. : 33 (0) 2 38 32 71 00
Télécopieur : 33 (0) 2 38 32 71 28
Internet : www.interforum.fr
Service commandes Export – DOM-TOM
Télécopieur : 33 (0) 2 38 32 78 86
Internet : www.interforum.fr
Courriel : cdes-export@interforum.fr

- Pour la Suisse :
INTERFORUM editis SUISSE
Case postale 69 – CH 1701 Fribourg – Suisse
Tél. : 41 (0) 26 460 80 60
Télécopieur : 41 (0) 26 460 80 68
Internet : www.interforumsuisse.ch
Courriel : office@interforumsuisse.ch
Distributeur : OLF S.A.
ZI. 3, Corminboeuf
Case postale 1061 – CH 1701 Fribourg – Suisse
Commandes : Tél. : 41 (0) 26 467 53 33
Télécopieur : 41 (0) 26 467 54 66
Internet : www.olf.ch
Courriel : information@olf.ch

- Pour la Belgique et le Luxembourg :
INTERFORUM editis BENELUX S.A.
Boulevard de l'Europe 117, B-1301 Wavre – Belgique
Tél. : 32 (0) 10 42 03 20
Télécopieur : 32 (0) 10 41 20 24
Internet : www.interforum.be
Courriel : info@interforum.be

01-08

L'ouvrage original a été publié
par Nova Vista Publishing
sous le titre *Time Out for Leaders*

Dépôt légal : 2008
Bibliothèque et Archives nationales du Québec

ISBN 978-2-7619-2446-7

Gouvernement du Québec – Programme de crédit d'impôt pour l'édition de livres – Gestion SODEC – www.sodec.gouv.qc.ca

L'Éditeur bénéficie du soutien de la Société de développement des entreprises culturelles du Québec pour son programme d'édition.

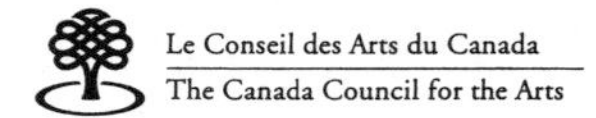

Nous remercions le Conseil des Arts du Canada de l'aide accordée à notre programme de publication.

Nous reconnaissons l'aide financière du gouvernement du Canada par l'entremise du Programme d'aide au développement de l'industrie de l'édition (PADIÉ) pour nos activités d'édition.

Donald Luce et Brian McDermott

Temps d'arrêt pour les leaders

S'inspirer pour mieux diriger

Traduit de l'américain par Jacques-Gilles Laberge

Une compagnie de Quebecor Media

À la mémoire de Donald Luce

(13 juin 1958 - 24 novembre 2003)

Vos idées, vos valeurs, votre humour et votre spiritualité
sont le fondement de ces pages.
Votre souvenir et votre message continuent de vivre
dans nos cœurs et nos esprits.

Introduction

La manière dont ce livre a été rédigé devrait suffire à vous convaincre de la pertinence de son message. Voici comment cela s'est passé.

Dans les livres qui sont le fruit d'une collaboration entre deux auteurs, les deux auteurs écrivent habituellement l'introduction ensemble. Ce n'est pas possible dans ce cas-ci puisque mon coauteur Donald Luce est décédé le 24 novembre 2003 avant d'avoir pu terminer le présent ouvrage. Il avait 45 ans. Personne ne s'attendait à ce que survienne si vite l'ultime chapitre de son existence.

Don avait publié en 1996 une première version de *Temps d'arrêt pour les leaders,* livre dans lequel il encourageait les leaders à écouter leur intuition, à cultiver leur passion et leur conscience d'eux-mêmes, et à accorder chaque jour un peu de temps à la réflexion personnelle. L'ouvrage s'est avéré un outil précieux et efficace pour ses lecteurs et lectrices, ce qui a incité Don à entreprendre une révision qui ferait état des nouvelles expériences et connaissances qu'il avait acquises en matière de leadership et à propos de la vie en général.

Je n'ai rencontré Don en personne qu'une seule fois, soit juste avant qu'il ne commence à travailler sur la nouvelle édition de son livre. Son éditrice de l'époque, Kathe Grooms de *Nova Vista Publishing,* nous a présentés parce qu'elle était convaincue que nous nous entendrions bien. Un peu plus d'un an après la mort de Don, Kathe m'a invité à compléter *Temps d'arrêt pour les leaders* – avec la bénédiction des Luce, bien entendu –, sa principale directive étant que je devais rester fidèle aux idées et aux convictions qui caractérisaient l'œuvre de cet auteur inspiré et inspirant.

Don était un grand collectionneur de citations ; ces bribes de sagesse étaient pour lui source de réflexion et d'inspiration. Mieux que quiconque, Don savait les lire en filigrane pour détecter leur sens caché, et il se servait d'elles, des mots des autres, pour constamment réviser ses propres convictions, ses propres positions face à un problème donné. Ces citations lui étaient utiles dans toutes les facettes de sa vie, que ce soit en tant que père, époux, ami, homme d'affaires, membre actif de la communauté, guide spirituel ou consultant en leadership.

Tout au long de la rédaction de ce livre, alors même que je finissais le travail qu'il avait commencé, Don a été mon compagnon de tous les instants. J'ai appris à le connaître à travers ces citations et ces mots qu'il avait couchés sur papier quelque dix années auparavant. Le fait qu'il ne soit plus parmi nous rend son message encore plus émouvant : hier comme aujourd'hui, Don nous invite à mener notre vie de façon posée et réfléchie, car le temps et les opportunités dont nous disposons pour bâtir un monde meilleur sont très limités.

Écrire des livres est un boulot exigeant. Il y a eu des moments où j'étais si absorbé par mon travail que j'en oubliais totalement d'autres aspects importants de ma vie – ceux qui sont habitués à trimer dur savent de quoi je parle. Mais j'ai aussi vécu des moments magiques où j'ai senti que Don était là avec moi, qu'il me parlait à travers ces mots inscrits sur la page. Il me disait que la vie et le temps sont des biens précieux ; que je serais plus efficace, plus intelligent, plus épanoui et que j'aurais plus de succès si je m'arrêtais pour penser à ce que je faisais et à la raison pour laquelle je faisais ces choses. La première fois que j'ai rencontré Don comme ça sur la page, cela a été pour moi une véritable collision émotionnelle et intellectuelle. Le lien que j'ai alors ressenti entre lui et moi m'a traversé comme un courant électrique, m'emplissant d'une exaltation teintée de tristesse.

Temps d'arrêt pour les leaders est conçu pour que vous en lisiez une page par jour, cinq jours par semaine. Les citations ne vous inspireront peut-être pas toutes comme elles l'ont fait pour Don et moi, vous ne serez peut-être pas d'accord avec toutes les idées que nous avons développées à partir de ces citations ni avec toutes les actions concrètes que nous proposons, mais au fond ce n'est pas ça l'important. Ce livre a pour but de vous aider à grandir en stimulant votre processus de pensée ; considérez-le comme un point de départ, comme une incitation à prendre quelques minutes par jour pour réfléchir à vos actions et à ce que vous voulez accomplir dans la vie. Ce simple engagement suffira à nourrir vos rêves. *Temps d'arrêt pour les leaders* mettra vos convictions à l'épreuve et guidera vos décisions ; j'ose espérer qu'il vous influencera profondément et vous aidera à mieux définir qui vous êtes. Sa lecture vous procurera peut-être même quelques moments électrisants comme cela a été le cas pour moi.

Au fond, c'est cela mon vœu le plus cher : je veux que le message de Don Luce vous touche et vous inspire comme il l'a fait pour moi. Ce message a véritablement changé ma vie.

BRIAN MCDERMOTT

Il n'y a pas de réponse.
Il n'y a jamais eu de réponse.
Il n'y aura jamais de réponse.
C'est ça la réponse.

GERTRUDE STEIN

L'individu ou l'organisation qui veut grandir et prospérer doit parfois remettre en question ses croyances et ses certitudes.

Nous passons l'essentiel de nos vies à chercher des réponses aux questions qui nous assaillent. Continuez de chercher, mais tout en sachant que vous ne trouverez jamais la réponse aux défis les plus complexes de l'existence – comment devenir un grand leader, par exemple. Il n'y a pas de formules, pas de solutions absolues. Dès qu'on croit avoir trouvé la solution à un problème, les circonstances changent et cela vient tout chambouler. Le plus important, c'est de continuer de se poser des questions.

Rayez le mot « certitude » de votre vocabulaire. Quand on pense détenir la vérité, on cesse de croire qu'il nous reste des choses à apprendre.

Les risques et conséquences qui découlent de l'action ne sont rien comparativement aux risques et conséquences d'une confortable inaction.

JOHN F. KENNEDY

Dans le monde du commerce et des affaires, il est parfois difficile de prendre des risques. Celui qui risque gros peut récolter de gros dividendes, mais il peut aussi se casser la figure ! En tant que leader, vous devez montrer aux autres comment évaluer les risques associés à leurs décisions, mais vous devez aussi être ouvert aux opportunités et aux défis qu'on vous propose.

Le risque comporte sa part de danger, certes, mais les choses changent si vite aujourd'hui en affaires qu'il est encore plus périlleux de ne prendre aucun risque du tout, peu importe que ce soit par peur, par apathie ou parce qu'on doit se soumettre à une certaine hiérarchie.

Vos collaborateurs pourront procéder à leur propre évaluation du risque en se posant les deux questions suivantes : Quel est le pire qui puisse arriver si l'idée ne fonctionne pas ? Quel est le pire qui puisse arriver si on relègue l'idée aux oubliettes sans lui donner sa chance ?

Il suffit de s'engager résolument sur une voie pour mettre en branle les rouages de la providence.

GOETHE

La providence, la synchronicité et le karma sont des théories qui mettent en lumière, chacune à leur façon, le lien invisible qui unit tous les êtres humains. De quelque manière qu'on veuille l'expliquer, il y a dans la vie un phénomène absolument incroyable : dès qu'on prend la décision de s'engager résolument sur une voie, dès qu'on commence à se fixer des objectifs et à dresser la liste de ce dont on a besoin pour réaliser ces objectifs, les gens, les ressources et le soutien qui nous sont nécessaires arrivent dans nos vies comme par magie.

Ce qu'il y a de plus difficile quand on caresse un nouveau projet ou qu'on veut mettre sur pied une nouvelle entreprise, c'est de mettre les choses en branle. N'entreprenez pas un projet d'envergure sans d'abord vous être engagé à persévérer, surtout dans les moments difficiles. Les gens qui sont susceptibles de vous épauler sentiront la mesure de votre engagement et cela les aidera à surmonter leur peur, leur doute ou leur scepticisme initial. Les gens, les idées, l'énergie et les opportunités se présenteront à vous au moment où vous vous y attendez le moins. Préparez-vous à leur venue.

Commencez, tout simplement. Mettez les choses en branle en informant les gens de vos plans et de votre nouvel engagement. Sachez reconnaître les personnes et les ressources qui feront irruption dans votre vie au moment opportun.

Tout homme est mon supérieur dans la mesure où il a quelque chose à m'apprendre.

RALPH WALDO EMERSON

Vous avez l'habitude de résoudre des problèmes. On se fie à vous pour surmonter les obstacles et limiter les dégâts. Vous êtes un spécialiste dans votre domaine. Bravo ! Savourez le prestige et le respect que vous ont valu vos prouesses, mais n'allez pas croire que vous n'avez plus rien à apprendre.

En cette ère où des changements radicaux se succèdent à une vitesse folle, il faut être plus vigilant que jamais. Nous devons rester à l'affût de tout lien potentiel entre ce que nous faisons et ce qui se passe autour de nous. Sachant que ces liens vous seront révélés, pour la plupart, par des personnes disposées à partager leurs idées avec vous, évitez d'afficher un air de supériorité. Soyez accessible et facile d'approche. Vous avez besoin de ces contacts extérieurs pour rester au courant des tendances actuelles.

Lorsque quelqu'un parle d'une chose nouvelle durant une réunion, vous pouvez répondre en disant : « Tiens, je ne savais pas ça. Je suis content que vous m'en ayez parlé. Merci. »

Les dictateurs chevauchent des tigres desquels ils n'osent descendre. Et ces tigres commencent à avoir faim.

WINSTON CHURCHILL

Il fut un temps où les leaders pouvaient se permettre de mener tout le monde au doigt et à l'œil – ils vous disaient quoi faire, mais aussi quand et comment le faire. Cet état de choses ne plaisait pas à bien des gens, néanmoins tous s'en accommodaient et l'acceptaient comme tel. À cette époque, les patrons étaient tout-puissants. Aujourd'hui, les choses ont bien changé : un leader doit maintenant bénéficier de l'appui, de l'expertise et de l'initiative de collaborateurs motivés s'il veut réussir dans son domaine.

Il y a des moments où il vous semblera plus facile de prendre toutes les décisions vous-même et de mener vos subalternes et vos collaborateurs à la baguette sans leur donner d'explications. Il faut absolument que vous résistiez à cette tentation. Ces gens feront l'impossible pour mener à bien les tâches que vous leur confiez si vous les traitez avec humanité, si vous respectez leurs compétences et si vous partagez votre vision avec eux. En agissant ainsi, vous leur montrerez à exercer leur propre leadership.

Dressez la liste des projets que vous envisagez de déléguer à d'autres. Avant de donner à chacun sa mission, demandez-vous : « Pourquoi devrais-je confier ce projet à cette personne ? »
Ne manquez pas de dire à la personne en question les raisons pour lesquelles vous l'avez choisie.

SEMAINE 2

LUNDI

Tu es enlacé par les paroles de ta bouche, tu es pris par les paroles de ta bouche.

PROVERBES 6,2

Il faut toujours choisir ses mots avec soin, car ce sont de puissants outils de leadership. Avez-vous plus tendance à parler des problèmes ou des opportunités ? Dites-vous souvent « non » ou « oui, mais... » ? Écoutez-vous ce que les autres ont à dire ? Quand on vous propose quelque chose, vos réponses sont-elles axées davantage sur le positif ou sur le négatif ?

Efforcez-vous de maintenir une attitude positive quand vous parlez aux autres, de même que dans votre discours intérieur. Vos pensées et vos paroles guident vos actions et votre vision, ne l'oubliez pas. Assurez-vous d'être sur la bonne voie de ce côté-là.

Inscrivez sur une feuille à deux colonnes les interventions positives et négatives que vous faites durant une réunion. Faites un crochet dans une colonne chaque fois que vous dites une chose positive et un crochet dans l'autre colonne pour chaque intervention négative.

L'imagination est plus importante que le savoir.

ALBERT EINSTEIN

Bien des choses que nous tenons pour acquises aujourd'hui, que ce soit sur le plan technologique ou planétaire, étaient inimaginables il n'y a pas si longtemps. Ces changements ont eu lieu parce que des individus ont été capables de transcender le réel pour imaginer une nouvelle réalité.

Vos objectifs sont-ils suffisamment ambitieux ? Tempérez-vous vos aspirations parce que vous sous-estimez vos capacités ? Votre vision est-elle assez forte pour maintenir votre intérêt et inspirer d'autres personnes à agir ? Pourriez-vous viser un peu plus haut ?

C'est vrai qu'il est plus difficile de s'engager sur des sentiers inexplorés que de rester confortablement là où l'on est, néanmoins un bon leader sait que les membres de son équipage le suivent parce qu'ils aiment l'aventure et les découvertes. Gardez-les motivés en partageant votre vision avec eux.

Évaluez vos objectifs, puis haussez la barre d'un cran.
Vos collaborateurs doivent sentir qu'ils participent à une grande aventure !

Je ne crois pas aux circonstances. Les personnes qui réussissent en ce monde sont celles qui recherchent activement les circonstances qu'elles désirent ou qui, si elles ne les trouvent pas, en créent qui leur sont propices.

GEORGE BERNARD SHAW

Un leader passe une bonne partie de son temps à gérer les crises et les problèmes. Il doit composer outre cela avec les appels téléphoniques, fax, courriels et autres moyens de communication qui ont été inventés pour nous faire gagner du temps, mais qui, paradoxalement, nous en font perdre énormément. Avec tout cela, la vie du leader moderne peut vite devenir rien de plus qu'une série d'interruptions.

Prenez le temps qu'il faut pour imaginer votre avenir et planifier la route qui vous mènera au but. Vous avez le pouvoir de décider quelles circonstances vous devez accepter, lesquelles vous devez surmonter et lesquelles vous devez vous-même générer. Commencez par décider quel genre de présent et d'avenir vous désirez, puis posez les gestes concrets qui vous permettront de réaliser votre vision.

Prenez le contrôle, de façon positive, des circonstances qui affectent votre vie et votre capacité de diriger.

Dis-moi, et j'oublierai. Montre-moi, et je me souviendrai. Implique-moi, et je comprendrai.

PROVERBE CHINOIS

L'enseignement est une des principales responsabilités du leader. Or, pour être un bon maître, il faut se souvenir de ce que c'était que d'être un élève.

C'est en faisant qu'on apprend le mieux. Songez à votre propre développement. Il vous a fallu du temps, n'est-ce pas, pour apprendre votre métier? Même les domaines dans lesquels vous affichiez un talent naturel ont nécessité un effort d'apprentissage considérable de votre part, et il y a fort à parier que vous avez commis bien des erreurs en cours de route.

Eh bien, devinez quoi: vous devez donner aux gens qui sont sous votre direction les mêmes chances dont vous avez bénéficié! Ne vous attendez pas à ce qu'ils comprennent les choses aussi rapidement ou de la même façon que vous. Acceptez le fait que, tout comme vous, ils apprendront de leurs erreurs – car ils en commettront, des erreurs; personne n'est parfait. Sachez qu'ils apprendront plus vite et développeront mieux leurs compétences si vous les impliquez directement dans les tâches qu'ils doivent apprendre.

Aidez vos collaborateurs en les impliquant davantage dans divers secteurs de votre entreprise. Soyez patient. Félicitez les autres de leurs efforts, même s'ils font des erreurs. Soyez conscient du fait que chaque personne a une courbe d'apprentissage différente.

Dans la vie, quand on refuse tout sauf le meilleur, on l'obtient dans bien des cas.

W. SOMERSET MAUGHAM

Les hautes attentes engendrent l'excellence. Si vous placez la barre très haut et dites clairement aux gens ce que vous attendez d'eux, ils feront le maximum pour répondre à vos attentes et pour ne pas vous décevoir. Il y en aura toujours qui essaieront de s'en sortir en faisant le minimum, mais il s'agit généralement d'une minorité ; exprimez clairement vos attentes à ceux qui veulent faire du bon boulot et vous minimiserez l'impact qu'ont les travailleurs moins motivés sur votre entreprise.

Le leader qui exige l'excellence de la part de ses collaborateurs doit lui-même viser l'excellence. Vous devez ici faire preuve d'intégrité. Les gens qui vous entourent doivent sentir que vous êtes aussi exigeant envers vous-même qu'envers eux, sans quoi ils seront peu enclins à répondre à vos attentes.

Vous inspirerez les autres à se surpasser en étant vous-même positif et rigoureux dans votre quête d'excellence.
N'ayez pas peur de manifester votre foi en vos objectifs et en vos collaborateurs. Et soyez intègre ! N'oubliez pas que ceux qui sont sous vos ordres vous écoutent et vous observent.

La communication est le facteur primordial qui, dès notre arrivée en ce monde, détermine les circonstances de notre vie et caractérise les relations que nous entretenons avec nos semblables.

VIRGINIA SATIR

Un leader n'arrive à rien s'il ne sait pas communiquer efficacement. Ceux qui vous entourent jugent votre intelligence, votre intégrité et votre crédibilité en se basant sur votre façon de communiquer. Pour être en mesure d'attirer à vous les personnes susceptibles de vous aider à atteindre vos objectifs personnels et organisationnels, vous devez être capable de bien communiquer ce qu'il y a dans votre cœur et dans votre esprit.

L'un de vos défis en ce qui concerne la communication sera de formuler votre message en fonction de l'interlocuteur. Pour ce faire, il vous faudra jauger très rapidement la personne à laquelle vous vous adressez pour ensuite adapter le ton et la structure de votre propos au style particulier de cette personne. Il est certain que votre interlocuteur vous comprendra sans problème si vous procédez ainsi. Bien qu'à la base votre message demeurera le même, vous devez être capable de le communiquer de différentes manières.

Structurez vos messages de leadership de façon à couvrir un vaste éventail de styles de communication individuels. Ne changez pas le contenu du message, mais adaptez sa forme constamment afin que tous puissent bien saisir ses principaux éléments.

Se réunir est un début ; rester ensemble est un progrès ; travailler ensemble est la réussite.

HENRY FORD

Votre succès en tant que leader dépend en grande partie de votre capacité à constituer des équipes qui travailleront efficacement ensemble. Vous devez utiliser à votre avantage les talents, les valeurs, les compétences et l'expertise de ceux qui travaillent au sein de ces équipes, même si chacun d'eux a une personnalité, des objectifs personnels et des motivations différentes. Votre travail consiste à créer un environnement dans lequel chacun peut parler librement et constructivement des objectifs de l'équipe.

En cas de conflit, identifiez les principaux intéressés, vous inclus, de même que les intérêts personnels de chacun dans l'affaire. Demandez à l'équipe de trouver des solutions qui pourront répondre à ces intérêts, mais en précisant bien qu'il est quasiment impossible que la solution plaise à tout le monde – vous inclus. Pour que le travail en équipe soit productif, il faut que tous les participants s'engagent à communiquer franchement et ouvertement, et à travailler en harmonie pour atteindre leurs objectifs collectifs.

Favorisez la communication et la résolution de conflits au sein de vos équipes. Encouragez chacun à communiquer ouvertement, avec respect et professionnalisme, et à toujours agir dans l'intérêt de l'équipe.

Personne ne peut être exactement comme moi. Même moi, j'ai parfois du mal à y arriver.

TALLULAH BANKHEAD

Même les gens les plus talentueux ne peuvent pas tout faire. Par conséquent, vous devez permettre à d'autres personnes – qui ont des dons, des talents et une expérience différente des vôtres – de vous aider à réaliser votre vision. Même si la tentation est forte, évitez de vous entourer de gens qui sont comme vous sur bien des points; cette approche est certes sécurisante, mais elle est surtout très limitative. Vous vivrez peut-être moins de conflits si vous vous entourez de gens qui pensent et agissent comme vous, mais d'un autre côté vous ne bénéficierez pas de perspectives différentes quand viendra le temps de résoudre des problèmes et de relever des défis au quotidien.

Ne vous sécurisez pas en vous entourant de gens semblables à vous. Tirez plutôt avantage des multiples talents et façons de faire de ceux qui sont différents de vous.

Identifiez les approches et les talents spécifiques des gens qui vous entourent. Faites en sorte que leurs points forts complètent les vôtres.

Le tact est l'art de faire valoir son point sans se faire d'ennemis.

HOWARD W. NEWTON

Quand les gens réagissent négativement à un message important que vous leur avez communiqué, leur réaction est parfois liée non pas à ce que vous avez dit, mais à la façon dont vous l'avez dit.

Pris comme nous le sommes dans le tourbillon de l'existence, on oublie parfois quel impact peuvent avoir quelques mots mal choisis ou une pensée mal exprimée. On doit ménager l'ego des individus auxquels on s'adresse même quand on veut communiquer rapidement et efficacement. Formulez votre pensée de manière à ne pas froisser les gens qui travaillent pour vous.

Communiquez toujours avec tact. Votre but est d'informer et d'influencer, et non de contrôler. Faites preuve de doigté même quand la situation exige de la fermeté.

L'activité humaine est semblable à une marée, et non à un courant qui coule éternellement dans une seule direction.

JAMES RUSSELL LOWELL

Il fut un temps où il était relativement facile de repérer une nouvelle tendance et de se laisser porter par la vague. On pouvait en profiter pendant des années, parfois même des décennies. Aujourd'hui, les changements surviennent beaucoup plus vite sur le marché mondial et l'espérance de vie d'une nouvelle mode est beaucoup plus brève qu'auparavant. Seuls les leaders les plus vigilants peuvent désormais distinguer une tendance durable d'un engouement passager.

Lorsque vous identifiez une tendance du marché, vous devez immédiatement juger de son impact sur vous et sur votre organisation, puis décider très rapidement si vous devez l'exploiter ou passer outre. Dans la plupart des cas, vous penserez en termes de semaines et de mois, et non en termes d'années ou de décennies comme c'était le cas autrefois. Une chose est sûre, c'est que vous ne pourrez pas vous permettre de vous accrocher à vos vieilles recettes éprouvées quand les vents du marché changeront de direction.

Prenez le temps de bien saisir les changements qui peuvent influer sur votre champ d'activité. Élaborez un processus qui permettra à votre organisation de repérer les tendances nouvelles et identifiez ensuite les ressources dont vous aurez besoin pour mettre en œuvre ce processus.

Notre propension à nous prendre au sérieux est inversement proportionnelle à notre capacité créative.

ERIC HOFFER

À quand remonte la dernière fois où vous avez ri de vous-même ? Ne savez-vous pas que la vie est pleine de moments cocasses qui poussent à l'ironie ? Vous êtes un personnage important à la barre d'un poste impressionnant, mais vous ne devez pas en perdre votre sens de l'humour pour autant. Si vous vous inquiétez trop de l'image que vous dégagez, vous aurez tendance à devenir trop sérieux, ce qui limitera énormément votre créativité. On peut faire du bon boulot tout en ayant du plaisir – les deux choses ne sont pas incompatibles. Au contraire, il a été prouvé que les gens travaillent mieux quand ils ont du plaisir !

Regardez-vous comme le ferait un observateur extérieur. Quelle est votre attitude naturelle ? Êtes-vous coincé ou détendu ? Rigolez-vous de temps à autre ? Lorsque vous vous prenez trop au sérieux – ou quand vous prenez une situation trop au sérieux –, vous restreignez vos horizons et rendez votre vie, et celle des autres, ennuyeuse. Vous verrez qu'on est plus créatif quand on prend la vie avec un grain de sel.

Mettez un peu d'humour et d'ironie dans votre vie. Trouvez chaque jour de nouvelles raisons de rire… de vous-même ou avec les autres.

Ne craignez pas de faire un grand pas quand cela est indiqué.
On ne franchit pas un gouffre en deux petits bonds.

DAVID LLOYD GEORGE

Nous vivons dans une ère de grandes opportunités où même les petites organisations peuvent jouir d'un rayonnement planétaire. Votre défi en tant que leader consiste à jauger puis à saisir promptement les opportunités les plus adéquates, tant pour vous que pour votre organisation. Cela dit, il est parfois difficile de prendre les bonnes décisions dans ce contexte où le changement est rapide et la compétition, féroce. Usez de prudence, surtout quand les enjeux sont importants. Analysez et évaluez les risques et les gains potentiels d'une affaire donnée en utilisant les ressources appropriées, puis prenez ensuite une décision éclairée.

Une fois que vous aurez décidé en faveur d'un projet, votre engagement doit être absolu – on peut rarement se permettre d'être hésitant en affaires. Songez que des tas de compétiteurs potentiels sont en train de soupeser les mêmes possibilités financières ou commerciales que vous, et que bon nombre d'entre eux sont sans doute prêts à faire le grand saut. Une fois que vous avez dit oui à une opportunité, abordez les étapes suivantes avec assurance et détermination.

Ayez confiance en la capacité de votre équipe à évaluer les nouvelles opportunités. Agissez rapidement, mais en prenant soin d'analyser d'abord tous les facteurs en jeu ; cela vous permettra d'aller de l'avant sans avoir à constamment protéger vos arrières.

On dit toujours que le temps change les choses, mais en vérité vous devez les changer vous-même.

ANDY WARHOL

La plupart des psychologues s'entendent sur le fait que nous échafaudons les principales composantes de notre personnalité dans les six premières années de notre vie. Mais si notre moi profond est déjà bien établi à l'âge où nous apprenons à attacher nos souliers, nous pouvons en revanche changer nos comportements à tout moment de notre vie.

Si vous tenez à améliorer la performance de vos effectifs, faites savoir à vos collaborateurs que vous appréciez les particularités qui font la personnalité de chacun. Soulignez les comportements – paroles, actions, etc. – qui sont susceptibles d'améliorer ou de nuire à la performance. Décrivez avec le plus de justesse possible les comportements indésirables et identifiez ceux qui mèneraient à une plus grande efficacité s'ils étaient modifiés.

Donnez toujours aux gens de bonnes raisons de changer. Une personne qui ne voit aucun avantage au changement dira peut-être qu'elle est d'accord avec vous, mais elle poursuivra ensuite son comportement inefficace.

N'essayez pas de changer la personnalité des gens. Donnez-leur plutôt des conseils et des suggestions spécifiques qui les aideront à fonctionner à leur plein potentiel.

Le pessimisme mène à la faiblesse et l'optimisme, à la puissance.
WILLIAM JAMES

La négativité est un piège omniprésent et incroyablement sournois. Quand on lit les journaux, quand on écoute la télé ou la radio régulièrement, on a l'impression que le monde est une vaste tragédie. Les publicités qui accompagnent toute cette grisaille renchérissent en nous disant que nous ne sommes pas assez heureux, pas assez bons, pas assez sexy; nous sommes bombardés de messages qui proclament que ce n'est qu'en achetant le produit annoncé que nous pourrons combler ce grand vide qui nous habite.

N'importe qui peut passer son temps à se plaindre de ce qui manque à sa vie, de tout ce qui ne va pas. Cela dit, il est beaucoup plus productif et énergisant de se concentrer sur les opportunités positives qui se présentent chaque jour à nous, de saisir ces opportunités avec tout l'espoir, l'optimisme et l'enthousiasme dont nous sommes capables. La négativité est peut-être séduisante, mais elle n'est pas productive. Préférez-lui l'optimisme, qui est porteur d'espoir et ouvre la voie à la réussite.

Il y a sûrement dans votre vie des choses positives que vous tenez pour acquises. Concentrez-vous sur ces choses. Ouvrez l'œil pour pouvoir repérer les opportunités, même modestes, qui se présentent à vous.

Il est préférable de connaître certaines des questions plutôt que toutes les réponses.

JAMES THURBER

Votre travail ne consiste pas à avoir toutes les réponses. De toute manière, même si vous le vouliez, vous ne le pourriez pas. Donnez-vous plutôt pour objectif de poser des questions ouvertes qui ne mènent pas nécessairement à la réponse que vous voulez entendre.

Quand vous posez une question à laquelle on peut répondre par un oui ou un non, c'est généralement parce que vous voulez voir votre idée confirmée. Il est probable que vous obtiendrez la réponse que vous attendez si vous posez des questions teintées de jugements de valeur ou qui contiennent leur propre réponse, mais cette réponse toute faite ne sera probablement pas très utile ou constructive.

Formulez vos questions de manière à obtenir la plus grande variété de réponses possible. Préparez-vous à entendre chacune de ces réponses; accueillez-les, écoutez-les en lisant bien entre les lignes. La réponse que vous cherchez se cachera bien souvent là où vous vous y attendez le moins.

Posez des questions qui laissent la place aux bonnes comme aux mauvaises nouvelles.

Le secret de l'existence humaine consiste, non pas seulement à vivre, mais encore à trouver un motif de vivre.

FIODOR DOSTOÏEVSKI

Quels principes sous-jacents guident votre vie au quotidien? En quoi ces principes influencent-ils vos choix et votre orientation? On dit que la vie est une aventure qu'il faut savoir savourer, n'empêche qu'il y a trop de gens qui prennent la vie pour une partie de plaisir et dont l'existence est dénuée de sens ou de direction. Nous nous trouvons tous dans une position enviable en ce sens que nos actions peuvent inspirer les autres à vivre pour quelque chose de plus noble et de plus grand qu'eux-mêmes.

L'être humain a besoin d'un but pour donner un sens à sa vie. Cela fait partie de sa nature. Concrétisez ce but par vos actions et aidez les autres à trouver le leur.

Prenez chaque jour quelques minutes pour penser aux raisons que vous avez de vivre. Ces instants de réflexion vous permettront de voir où vous en êtes, puis d'ajuster votre tir s'il y a lieu.

Vous vous ferez plus d'amis en deux mois si vous vous intéressez aux autres qu'en deux ans si vous essayez que les autres s'intéressent à vous.

DALE CARNEGIE

L'amitié est l'une des plus grandes joies de l'existence. Vous auriez beau avoir tout le succès matériel au monde, sans amis la vie vous semblerait vide et ennuyeuse.

Les leaders sont souvent des personnes douées, compétitives et dynamiques; or, il leur arrive de transposer dans leur vie privée ces qualités qui ont fait leur succès en affaires. Le problème est que les amitiés fondées sur la compétitivité fonctionnent rarement dans la vie de tous les jours – à moins que l'ami en question soit essentiellement un partenaire de golf ou de tennis.

Dans une véritable amitié, chacun désire le bonheur et le succès de l'autre. On atteint rarement un tel niveau d'intimité avec une autre personne, mais la possibilité est là si on demeure ouvert à elle. Célébrez le succès mutuel dans vos relations interpersonnelles; intéressez-vous aux autres au point de vouloir leur réussite au même titre que la vôtre. N'oubliez pas qu'ils veulent avoir du succès eux aussi.

Notez le nom de cinq personnes que vous considérez comme vos amis. Entretenez-vous avec ces gens des relations chaleureuses basées sur le respect et le soutien mutuel? Sinon, que pouvez-vous faire dès aujourd'hui pour changer cet état de choses?

Vivez de telle manière que vous n'auriez pas honte de vendre votre perroquet à la commère du village.

WILL ROGERS

Tout le monde adore les histoires qui concernent d'autres personnes – cela fait partie de notre nature. Cette curiosité est saine tant qu'on reste dans le positif, chose que nous avons malheureusement souvent du mal à faire. Nous sommes fascinés par les ragots et le potinage au moins autant que nous nous préoccupons du bien de nos semblables. Or, c'est là une dangereuse fascination.

En tant que leader, vous pouvez être certain que les gens examinent de très près vos faits et gestes – certains veulent connaître le secret de votre réussite alors que d'autres cherchent tout simplement à vous dénigrer. Votre position privilégiée vous donne l'opportunité – et la responsabilité – de donner l'exemple aux gens qui vous observent et vous admirent. Quant à vos détracteurs, ne leur donnez pas d'armes dont ils pourraient se servir contre vous.

Avant la fin de la semaine, racontez à quelques personnes qui sont à différents niveaux de votre organisation une anecdote positive concernant un confrère ou une consœur de travail.

L'intuition est une faculté spirituelle qui, au lieu d'expliquer, montre simplement la voie.

FLORENCE SCOVEL SHINN

Quand on analyse trop, on devient parfois incapable de prendre une décision. Plus on a d'information et moins claires sont nos conclusions. C'est un problème en cette ère où nous disposons d'une quantité effarante de données via Internet.

Il est évidemment très important de s'informer, surtout quand vient le temps de soupeser l'impact de certaines statistiques ou d'examiner des données conflictuelles, mais vient un moment où il faut interrompre la cueillette d'informations et prendre une décision. Votre instinct et votre expérience vous diront quand ce moment viendra. On n'a aucune raison de ne pas faire confiance à son intuition si on s'est bien informé au préalable et si on a bien analysé toutes les données.

Souvenez-vous d'une décision que vous avez prise dans les derniers jours. Pensez au moment précis où vous en êtes arrivé à votre décision finale, puis remontez les étapes du processus. Avez-vous prolongé vos recherches et votre analyse inutilement ?

Peu de choses aident un individu davantage que de lui donner des responsabilités et de lui dire que vous lui faites confiance.

BOOKER T. WASHINGTON

Aucune relation ne peut fonctionner s'il n'y a pas de confiance ou de soutien mutuel. Les personnes que vous dirigez le sentent quand vous n'avez pas confiance en elles ou quand vous les jetez dans une impasse.

Certains leaders croient que si l'on donne à quelqu'un suffisamment de latitude, soit il réussira, soit il échouera lamentablement. Le problème est qu'on ne peut pas laisser une personne à elle-même sans lui donner les outils dont elle a besoin pour réussir. Donnez à vos collaborateurs la latitude nécessaire pour agir librement, mais en les aidant d'abord à acquérir les compétences nécessaires pour bien faire leur boulot. Accordez-leur aide et soutien tout en leur montrant comment régler eux-mêmes les problèmes qui se dresseront sur leur route.

Cette semaine, trouvez une personne qui a de la difficulté avec un projet que vous lui avez confié et aidez-la à se tirer d'embarras.

SEMAINE 6

LUNDI

La gestion participative est particulièrement ardue pour un chef d'entreprise parce qu'il s'agit d'un style de leadership qui suppose un partage du pouvoir.

M. SCOTT PECK

Le sentiment de pouvoir que l'on ressent quand on est en position d'autorité est parfois enivrant, mais il peut être aussi extrêmement improductif. Le modèle de gestion autocratique qui prévalait autrefois n'a plus cours aujourd'hui. Un bon leader doit maintenant partager son autorité et ses responsabilités avec ses subalternes.

Les connaissances et les compétences nécessaires pour mener à bien un travail donné sont aujourd'hui si vastes et si variées qu'on ne peut plus confier l'autorité et la capacité décisionnelle à une seule personne. Vous devez permettre, voire même exiger que les gens qui travaillent pour vous prennent les décisions qui relèvent de leurs capacités. Aidez-les à développer leur jugement et leur pouvoir décisionnel, puis autorisez-les à exercer ce pouvoir. Vous serez plus apte à vous concentrer sur vos priorités stratégiques si vous déléguez ainsi votre autorité.

Lâchez un peu les rênes. Prenez votre liste de choses à faire et choisissez une tâche que vous confierez à quelqu'un d'autre. Choisissez de préférence une personne qui sera étonnée que vous lui donniez pareille opportunité.

Il n'est pas nécessaire de changer. La survie n'est pas obligatoire.

W. EDWARDS DEMING

C'est quand on est au faîte de la réussite qu'il est le plus difficile de changer. Paradoxalement, c'est à ce moment-là que le changement est le plus indiqué.

Il est extrêmement difficile de persuader les gens que leur sécurité est menacée quand tout va pour le mieux, mais le fait est que le monde des affaires bouge aujourd'hui à une vitesse affolante. Maintenir le *statu quo* dans une conjoncture semblable équivaut à tirer de l'arrière. De nouveaux compétiteurs font chaque jour leur entrée sur le marché, or, bon nombre d'entre eux bénéficient de nouvelles technologies ou d'un contexte économique qui leur donne un net avantage sur vous et votre entreprise.

Trouvez des moyens de lutter contre la complaisance et le confort. Créez un environnement favorable au changement et non un environnement où le changement prend tout le monde par surprise.

Restez à l'affût des technologies et des pratiques d'affaires qui sont susceptibles de rendre obsolète votre façon de faire. Les entreprises qui se prévalent de ces avantages peuvent, même après des débuts modestes, s'avérer des pionnières dans leur domaine. Les compétiteurs qui auront refusé de changer n'auront plus qu'à mordre la poussière !

Un voyage de mille kilomètres commence par un premier pas.

LAO-TSEU

Les meilleurs leaders partagent tous une qualité : ils ont une propension naturelle pour l'action. Ils savent qu'on peut parler et échanger des idées indéfiniment, mais que la parole à elle seule ne permet pas d'accomplir grand-chose.

Les meilleurs leaders se fixent des objectifs, puis ils s'emploient à les réaliser par des actions concrètes.

Y a-t-il des idées ou des projets que vous remettez toujours à plus tard pour une raison ou une autre ? Vous entretenez de grands desseins, mais la peur, le doute ou l'incertitude vous empêchent de les mettre en chantier ? Votre destination vous paraît-elle parfois si lointaine que vous n'osez pas bouger, craignant que vous n'aurez pas l'énergie nécessaire pour l'atteindre ?

Entreprenez dès aujourd'hui un projet que vous envisagez depuis longtemps, mais que vous n'avez pas encore cherché à concrétiser. Faites un premier pas, observez les choses se mettre en branle, puis capitalisez sur le mouvement ainsi généré.

Cent fois par jour, je me répète que ma vie intérieure et extérieure est basée sur le labeur de d'autres hommes, morts ou vivants, et que je dois m'appliquer pour être en mesure de donner autant que j'ai reçu et continue de recevoir.

ALBERT EINSTEIN

Pensez à tous les gens qui vous ont aidé à être là où vous êtes présentement. Des enseignants et des guides spirituels ont ouvert votre esprit ; des mentors vous ont ouvert des portes ; des amis vous ont ouvert leur cœur. Certains n'ont passé que brièvement dans votre vie, d'autres sont une présence constante, mais ils ont tous une chose en commun : ils veulent vous voir exceller et prospérer.

Quand vous vous sentez seul, pensez au vaste réseau de gens qui vous ont soutenu et encouragé au fil des années. Ces personnes sont toujours là, avec vous. Elles font partie de votre vie. Souvenez-vous de ces bienfaiteurs et songez que vous avez vous aussi l'opportunité de jouer un rôle semblable dans la vie des autres.

Un événement des prochains jours vous fera penser à quelqu'un qui vous a aidé en pareille situation. Contactez cette personne et exprimez-lui votre gratitude.

L'intégrité, c'est tenir les petites promesses qu'on se fait à soi-même.

RICHARD LEIDER

C'est tout un défi que d'être vraiment intègre. Le fait est qu'on peut facilement s'écarter de ses valeurs quand on est dans une situation difficile, quand la tentation se fait trop forte, ou quand on se croit à l'abri du regard des autres.

Quand vous faillissez à une promesse que vous vous êtes faite à vous-même, vous perdez un peu du respect que vous vous portez, et ce, même si personne d'autre que vous n'est au courant que vous avez manqué de probité. Si vous continuez sur cette voie, vous perdrez éventuellement le respect des autres. Pour avoir confiance en soi et en sa propre valeur, pour avoir le respect de soi, il faut rester fidèle aux valeurs fondamentales que l'on s'est fixées. Quand on se respecte soi-même, les autres le sentent; cela, plus que n'importe quoi d'autre que vous pourriez dire ou faire, les incitera à vous faire confiance.

Inscrivez sur un bout de papier un petit mot qui vous rappellera à l'ordre chaque fois que vous vous retrouverez dans une situation qui mettra votre intégrité à l'épreuve. Gardez ce papier dans votre poche et consultez-le au besoin, pour vous rappeler que vous devez agir avec droiture, sans trahir vos valeurs et votre intégrité.

Ne doutez jamais qu'un petit groupe de citoyens engagés puisse changer le monde. De fait, c'est la seule chose qui l'ait jamais changé.

MARGARET MEAD

Il peut être fort décourageant de sentir que les autres résistent aux changements que l'on veut mettre en place, mais n'abandonnez pas pour si peu – du moment bien sûr que votre cause est juste. Gardez courage même si vous avez l'impression d'être seul contre tous. L'énergie que vous investissez dans votre effort de changement est une force qui vous soutiendra ; l'énergie que l'on met à lutter contre le changement, parce qu'on en a peur ou parce qu'il est plus facile de le combattre que de s'y adapter, est moins énergisante et plus difficile à soutenir.

Soyez patient. Soyez persévérant. Soyez positif.

Identifiez les personnes qui sont favorables aux changements que vous préconisez et utilisez-les pour faire avancer votre cause. Ces personnes peuvent convaincre vos détracteurs du bien-fondé des changements que vous voulez mettre en œuvre.

Ce n'est pas que la plupart des gens planifient d'échouer,
mais qu'ils oublient de planifier.

JOHN L. BECKLEY

Pour être un bon leader, il faut avoir une vision très claire de ce que l'on veut accomplir. Les gens que vous dirigez ne sauront pas quoi faire si vous n'avez pas un plan spécifique et réaliste – comment le sauraient-ils puisque vous ne le savez pas vous-même ?

Lorsque vous planifiez votre stratégie, choisissez le chemin le plus direct, mais en tenant compte des obstacles potentiels qui pourraient vous forcer à ajuster votre tir. Ménagez-vous des routes alternatives qui vous permettront de contourner ces obstacles.

Permettez à vos collaborateurs de participer à l'élaboration de votre plan d'action, puis assurez-vous que chacun d'eux ait une copie de ce plan. Le voyageur qui n'a pas de carte ou de boussole risque de s'égarer tôt ou tard.

Lorsque vous planifiez un projet, demandez-vous ce qu'il faut faire pour le mettre en œuvre. Continuez de vous poser cette question jusqu'à ce que toutes les étapes du projet soient clairement établies. Votre plan doit être suffisamment détaillé pour que chacun sache exactement en quoi consiste sa tâche.

Personne ne peut devenir vraiment éduqué sans avoir étudié des matières pour lesquelles il n'a aucun intérêt. Cela fait partie de l'éducation que d'apprendre à s'intéresser à des sujets pour lesquels nous n'avons aucune aptitude.

T. S. ELIOT

Vous avez réussi dans la vie en partie à cause de vos talents et de vos aptitudes. Vous avez de la facilité à évoluer dans votre domaine de prédilection. Vous aimez ce que vous faites. Vos talents sont reconnus et récompensés.

Tout cela est bien beau, mais le problème est que vous ne pourrez pas maximiser votre potentiel de leader en vous cantonnant aux champs pour lesquels vous avez un talent naturel. Pour évoluer, vous devez explorer des domaines qui vous sont inconnus et qui sont peut-être à l'extérieur de votre zone de confort. Même si vous n'arrivez pas à maîtriser complètement ce nouveau sujet ou cette nouvelle technique, l'effort d'apprentissage que vous aurez fait contribuera à affiner votre capacité décisionnelle et votre jugement, et il vous aidera à identifier les personnes et les ressources dont vous avez besoin pour performer adéquatement dans ce secteur.

Initiez-vous à un nouveau sujet en prenant des leçons, en lisant un livre, en visitant un site Internet ou en lunchant avec un expert en la matière. Commencez par poser quelques questions fondamentales, puis laissez-vous guider par votre curiosité.

Tout le monde peut blâmer ; seul un spécialiste peut louanger.

CONSTANTIN STANISLAVSKI

Parfois les choses vont de travers. Parfois les gens font des erreurs. Il est naturel, quand cela arrive, de chercher la cause du problème. La plupart d'entre nous chercheront quelqu'un à blâmer, mais les bons leaders, eux, savent qu'il est beaucoup plus productif d'apprendre de ses erreurs.

Concentrez-vous sur le positif quand vous commettez une erreur ou essuyez un échec. Ne sombrez pas dans le négativisme. Célébrez vos réussites, mais tirez de vos erreurs les leçons qui s'imposent.

Ne manquez pas une occasion de féliciter vos collaborateurs. Récompensez leurs efforts et restez positif quand ils se trompent. Les gens travailleront plus fort et plus longtemps, seront plus en confiance et feront moins d'erreurs si vous agissez ainsi.

Planifiez une réunion de 30 minutes avec une équipe qui a essuyé un revers. Mettez tout le monde à l'aise en leur servant un petit goûter, puis invitez-les à discuter de leur expérience et de ce qu'ils en ont appris.

Le génie, qui fascine le commun des mortels, n'est souvent que persévérance déguisée.

HENRY AUSTIN

Le génie véritable repose sur la capacité à s'accrocher obstinément à une vision ou à une idée. Identifier des solutions possibles à des problèmes est une chose ; tester des options pour juger de leur efficacité, sélectionner les meilleures solutions puis les mettre en œuvre en est une autre.

Dans un monde parfait, nous serions tous capables de trouver rapidement et efficacement la solution idéale à un problème donné. La réalité est malheureusement toute autre. Même quand nous avons le bonheur de trouver une solution rapidement, cette solution s'avère rarement aussi simple qu'elle n'y paraissait de prime abord. Des gens comme Thomas Edison et Albert Einstein ont mis des années à tester leurs théories et leurs idées. Les leaders les plus admirés du monde des affaires et de l'industrie ont eux aussi su faire preuve de ténacité. Leur succès est dû en partie à leur capacité de persister là où d'autres auraient abdiqué.

Conservez une paire de lunettes avec nez et moustache postiche dans un tiroir de votre bureau. La prochaine fois que vous aurez envie d'abandonner l'une de vos priorités, mettez-vous cet attirail cocasse sur le nez et imaginez-vous en Albert Einstein. Cet exercice amusant a pour but de vous rappeler que nul ne peut accomplir de grandes choses sans la persévérance.

SEMAINE 8

LUNDI

Rien n'est bon ou mauvais en soi, tout dépend de ce que l'on en pense.

WILLIAM SHAKESPEARE

Les gens qui ont du succès sont généralement capables de voir le bon côté des choses. En ce monde où bouleversements et tragédies se succèdent à un rythme effréné, il en revient à vous d'aider ceux qui sont incapables de voir ce qui est bon et positif ici-bas.

Chaque chose, chaque situation peut être perçue de façon positive ou négative. Sachant cela, donnez-vous pour objectif de trouver la lumière là où les autres ne voient qu'obscurité. Une fois que vous aurez trouvé cette lumière, communiquez-la aux autres, mais toujours avec maturité, réalisme et sensibilité.

Ne faites pas abstraction de vos problèmes ; ne faites pas comme s'ils n'existaient pas. Faites face aux pires situations avec courage en songeant aux leçons et aux bienfaits potentiels que vous en tirerez.

Un individu qui ne lit pas de bons livres n'a aucun avantage sur un autre qui ne sait pas lire.

MARK TWAIN

Restez au fait des nouvelles tendances et technologies, et vous éviterez d'entraîner votre entourage sur des sentiers négligés, voire abandonnés. Lire est un des meilleurs moyens de se tenir au courant : les journaux nous informent sur l'actualité et nous donnent des indices de ce que veut notre clientèle ; les revues professionnelles nous tiennent au fait des dernières découvertes et de leurs répercussions ; les livres renferment des connaissances détaillées ; Internet est une véritable mine d'or de données. Toutes ces ressources prédisent ou influencent les événements qui façonnent notre univers.

Ne vous laissez pas décourager par le fait qu'il y a toujours trop à lire. Lisez ce que vous pouvez, quand vous le pouvez. N'attendez pas de réserver une journée entière à vos lectures, car ce jour ne viendra peut-être jamais !

Ménagez-vous des périodes de lecture, puis allez-y une page à la fois. Commencez par quinze minutes au début de la journée, à raison d'au moins une fois la semaine.

Avec un peu de chance, un rêve solitaire peut transformer un million de réalités.

MAYA ANGELOU

Quand on est enfant, on vit dans un monde de rêve et d'imaginaire. Tout ce qui peut être imaginé semble possible ; tout rêve semble réalisable. Malheureusement, rendus adultes, nous oublions. Nous nous plions à des pressions, à des réalités et à des exigences sociales qui sont incompatibles avec le monde imaginaire de l'enfance.

Même si l'on a des responsabilités, on ne doit pas oublier que les rêves peuvent se réaliser. Dans votre esprit, vous pouvez créer un monde que vous seul voyez, puis rendre cette vision concrète en usant de vos aptitudes et de votre imagination. Une personne qui met son rêve en action peut, à elle seule, changer le monde. Ne succombez pas complètement à la logique et à la raison du monde adulte. Rêvez et, ce faisant, créez un monde meilleur.

Dépoussiérez un vieux rêve et faites un premier pas vers sa réalisation.

Nous sommes tous pétris de la même pâte, mais nous n'avons pas tous été cuits au même four.

PROVERBE YIDDISH

L'un de vos plus grands défis de leader consiste à évaluer les autres, en particulier ceux qui sont susceptibles de faire partie de votre cercle intime d'amis et de collaborateurs. Que cela nous plaise ou non, nous sommes tous jugés par notre entourage immédiat. Les gens que vous dirigez voient vos forces et vos faiblesses à travers le caractère et les comportements de vos proches associés.

Plus une personne devient puissante et a du succès, et plus les gens veulent faire partie de son cercle intime. Choisissez donc soigneusement et prudemment vos amis et vos alliés.

Les compétences et l'expérience sont importantes, mais dans l'absolu elles le sont moins que les valeurs et l'intégrité – surtout que ces dernières sont plus difficiles à dissimuler! Laissez-vous guider par vos valeurs et votre intégrité quand vient le temps de choisir les gens qui font partie de votre vie.

La plus grande tentation humaine est de s'accommoder de trop peu.

THOMAS MERTON

Nous vivons dans un monde d'abondance. Chaque jour, des gens nous démontrent qu'on peut accomplir à peu près n'importe quoi, du moment qu'on y croit et qu'on s'applique. Et vous, accomplissez-vous autant de choses que vous l'auriez espéré ? Laisserez-vous votre marque ici-bas ? Si ce n'est pas le cas, que voudriez-vous changer et accomplir, soit pour vous-même ou pour les autres ? Considérant que vous consacrez déjà beaucoup d'énergie au travail, où trouverez-vous la vitalité nécessaire à la réalisation de vos rêves ?

Refusez tout compromis face aux ambitions qui vous tiennent le plus à cœur, à toutes ces petites et grandes choses par lesquelles vous pourriez bâtir un monde meilleur. Vous n'aurez jamais l'impression de vivre à votre pleine mesure si vous abandonnez ces ambitions... et vous finirez par le regretter. Faites tout ce dont vous êtes capable.

Tout en partageant un coucher de soleil avec un être cher, songez à ce que vous voulez qu'on dise de vous à votre retraite ou à votre mort. Ce discours fait-il écho à ce que vous faites aujourd'hui ? Discutez-en avec l'être cher si vous vous sentez prêt à le faire.

Quiconque se prend trop au sérieux risque à tout moment de paraître ridicule ; quiconque rit volontiers de lui-même n'a pas ce problème.

VACLAV HAVEL

Quantité de grands auteurs, de poètes et de dramaturges ont dit que la vie est trop courte pour être prise au sérieux. Parmi les plus grandes comédies de l'histoire, plusieurs sont basées sur des circonstances tragiques. Le rire soulage la souffrance, c'est bien connu.

Travailler fort et avoir du plaisir ne sont pas deux choses incompatibles. Vous aurez beau aborder chaque projet avec une tête d'enterrement, ceux qui vous entourent trouveront toujours le moyen d'alléger l'atmosphère – et il y a fort à parier que ce sera vous, le dindon de la farce. Allez, détendez-vous ! Le sens de l'humour n'est pas réservé aux humoristes, que diable !

Lisez une bande dessinée ; regardez une émission humoristique à la télé ; trouvez un site de blagues sur Internet. Mieux encore : moquez-vous gentiment de vous-même ! Regardez-vous aller pendant une journée… et vous trouverez très certainement matière à rire.

MARDI

J'ai vu un ange dans le marbre, et j'ai ciselé jusqu'à l'en libérer.

MICHEL-ANGE

Le leadership est en partie un art. Pour sculpter une organisation bien ciselée, il faut trouver l'ange qui se cache dans les personnes que vous dirigez. Quand vous interagissez avec ces gens, vous intéressez-vous uniquement à ce qu'il y a en surface ou allez-vous plus en profondeur ? Connaissez-vous les talents et les aptitudes de chacun ? Que pouvez-vous faire pour les rendre encore plus libres d'exprimer leur créativité ?

Plus une personne est engagée et plus elle est créative. Demandez à vos travailleurs s'ils ont déjà été absorbés par leur travail au point d'en perdre la notion du temps. Demandez-leur quel travail ils faisaient à ce moment-là, puis confiez-leur davantage de tâches de ce genre à l'avenir.

Celui qui a peur d'une chose donne à cette chose le pouvoir de le dominer.

PROVERBE MAURESQUE

La peur a son utilité : elle nous aide à éviter le danger, nous empêche de prendre des risques excessifs et aiguise notre vigilance. Cela dit, bien des peurs sont injustifiées et paralysantes. La peur d'être rejeté, la peur du ridicule, la peur de se tromper et la peur d'échouer (ou de réussir !) érigent en nous des barrières psychologiques qui inhibent notre capacité d'agir. Une peur irraisonnée peut, quand elle n'est pas gérée adéquatement, croître et se transformer en un redoutable mécanisme de défense. Quand nous laissons une peur inhibitrice s'installer dans notre esprit, nous conférons à cette peur un pouvoir dangereux et dévastateur.

Identifiez vos peurs, donnez-leur un nom. Songez à un projet ou à une tâche que vous avez laissée en plan sans vraiment savoir pourquoi vous l'abandonniez. Est-ce une peur infondée qui vous a poussé à laisser tomber cette tâche ou ce projet ? La peur vous empêche-t-elle de faire ce que vous devriez faire ?

Un seul mensonge peut détruire toute une réputation d'intégrité.

BALTASAR GRACIAN

Il n'y a pas de place pour le mensonge en affaires. Même un petit mensonge pieux dit dans l'espoir d'épargner la sensibilité d'autrui peut annihiler instantanément une confiance qu'on a mis des années à instaurer.

Ne cachez rien aux autres. Dites-leur la vérité même si ça risque de leur faire mal. Vous devez réprimander ou congédier une personne qui ne fait pas son travail ? Vous devez dire à un bon travailleur que son poste a été aboli ? Vous devez confronter une personne qui n'a pas été honnête avec vous ? Alors faites-le franchement, sans atermoiements et sans minimiser les faits.

Les gens pardonneront peut-être vos mensonges, mais ils ne les oublieront pas. Dire la vérité, même si elle fait mal, est la seule façon de protéger les gens, vous inclus.

Quand vous songez à mentir pour épargner quelqu'un, mettez-vous à la place de l'autre et imaginez comment vous aimeriez entendre la désagréable nouvelle que vous devez lui annoncer. Trouvez la manière la moins blessante et la plus constructive de dire ce que vous avez à dire.

Quoi de plus humiliant que de sentir qu'on a manqué le bateau parce qu'on n'a pas voulu se mouiller?

LOGAN PEARSALL SMITH

Le courage est l'une des plus grandes vertus du leader. Saisissez-vous l'occasion quand l'opportunité d'agir se présente? Êtes-vous prêt à vous battre pour les choses en lesquelles vous croyez? Votre façon d'aborder l'adversité est-elle source d'inspiration pour votre entourage? Quittez-vous volontiers votre zone de confort quand cela s'avère nécessaire? Êtes-vous prêt à vous imposer pour que justice soit faite?

Un bon leader évalue la situation et évite les risques inutiles, mais il n'hésite pas à agir quand cela s'avère prudent et nécessaire.

Ne manquez pas le bateau, mais ne vous laissez pas non plus mener en bateau. Avant d'agir, analysez la situation, évaluez les risques, puis interrogez-vous quant à la façon la plus juste et la plus efficace de procéder.

J'utilise non seulement ma propre intelligence, mais aussi celle que je peux emprunter.

WOODROW WILSON

Résistez à la tentation de tout faire vous-même. Vous excellez dans votre domaine et avez confiance en vos capacités, par conséquent vous êtes sans doute plus à l'aise et sentez que vous maîtrisez mieux la situation quand vous vous acquittez vous-même des tâches les plus importantes. En vérité, on maîtrise moins bien la situation quand on essaie de tout faire soi-même. Essayez et vous verrez que vous n'aurez jamais assez de temps pour tout faire, même si vous êtes très adroit à gérer votre emploi du temps ; vous serez par ailleurs trop occupé pour voir les opportunités et les problèmes au fur et à mesure qu'ils se présenteront à vous. En monopolisant ainsi les responsabilités, vous empêchez aussi les autres de développer leurs compétences et de gagner en expérience.

Visez une synergie avec vos employés et vos collaborateurs au lieu d'essayer de tout contrôler. L'intelligence des autres est à votre disposition : utilisez-la ! Vous verrez que vous accomplirez beaucoup plus en équipe qu'en faisant cavalier seul.

Vous n'avez pas à déléguer toutes vos responsabilités d'un seul coup. Confiez progressivement certaines responsabilités à des personnes dont les talents et les compétences complètent les vôtres, mais tout en continuant de vous impliquer dans ces tâches.

L'irrationnel n'est pas une réfutation, mais une condition de l'existence.

FRIEDRICH NIETZSCHE

De bien des points de vue, le monde n'a aucun sens. Il nous semble parfois si chaotique et irrationnel, si imprévisible et incompréhensible que nous en avons du mal à gérer notre existence.

Dans la vie, le chaos n'est pas l'exception, mais la norme. Vous devez donc trouver le moyen d'ordonner ce chaos en planifiant et en catégorisant les choses. Prévoyez l'imprévisible. Concevez des plans d'actions qui vous permettront, à vous et à votre équipe, de gérer l'imprévu le plus logiquement et le plus efficacement possible. Soyez conscient du fait que tout peut arriver à tout moment et sans raison apparente.

Élargissez votre perception du monde en vous intéressant aux différents enjeux de l'actualité – marchés internationaux, politique internationale, problèmes environnementaux et de santé, etc. Tentez d'évaluer l'impact direct ou indirect de ces facteurs sur vos activités, puis demandez-vous ce que vous pouvez faire dès maintenant pour accroître votre flexibilité face à des événements ou des situations imprévisibles.

Rien n'assure si sûrement la victoire que la patience.

SELMA LAGERLÖF

Tout le monde veut obtenir tout, tout de suite. Mais au-delà des exigences du monde, il y a des choses que l'on ne peut précipiter.

Quel est le meilleur compromis entre la nécessité que tout se fasse le plus vite possible et la progression naturelle des événements? Eh bien, commencez par faire en priorité les choses qui doivent absolument être faites immédiatement, puis acceptez les lois qui gouvernent le rythme naturel des choses. Faites de votre mieux... et usez de diplomatie avec les impatients!

Identifiez dans votre entreprise les choses qui ne peuvent avancer plus rapidement qu'à leur rythme naturel. Informez vos collaborateurs du fait qu'ils doivent éviter tout empressement face à ces choses, ceci afin d'assurer la qualité du résultat final.

Un homme qui ne commet pas d'erreurs ne fait généralement pas grand-chose.

MONSEIGNEUR W. C. MAGEE

Certaines de nos leçons les plus précieuses nous viennent de nos erreurs. Cela peut sembler paradoxal, mais un leader efficace encourage les autres à faire des erreurs et à en assumer les conséquences. Ce leader sait que ce sont là les risques du métier.

Les gens qui travaillent pour vous auront tendance à dissimuler leurs erreurs s'ils craignent les réprimandes. Cette façon de faire est préjudiciable à votre entreprise parce qu'en plus d'empêcher vos travailleurs d'apprendre par leurs erreurs, elle favorise la répétition de ces erreurs et risque d'aggraver leurs conséquences. Par contre, en évitant de punir les gens de leurs erreurs, vous les encouragez à développer leurs compétences.

Célébrez autant que possible l'effort et l'intention au sein de votre entreprise, ou du moins faites en sorte que les gens soient suffisamment à l'aise pour admettre et signaler leurs erreurs. Vous minimiserez ainsi les pertes encourues tout en permettant aux gens de se développer.

Organisez une petite fête où les gens raconteront leurs erreurs et les leçons qu'ils en ont tirées. Et, pourquoi pas, que cela devienne un concours où celui qui a commis la pire bévue remportera une journée de congé ou un chèque-cadeau !

Souvent la nuit, dans un demi-sommeil, je me mets à penser à un problème grave et je décide que je dois en parler au pape. Puis je me réveille complètement et je me rappelle soudain que c'est moi, le pape.

JEAN XXIII

Ne perdez jamais de vue l'importance du rôle que vous jouez. Vous êtes où vous êtes aujourd'hui parce que vous êtes un être d'exception. Réjouissez-vous de cette opportunité que vous avez de faire des choses extraordinaires ! Quand vous vous sentez seul ou stressé, songez à tout le bien que votre position vous permet de faire. Vous êtes dans cette position parce que vous avez la capacité de diriger vos semblables avec passion, compassion et intelligence.

N'ayez pas une attitude de confrontation, du genre : « C'est nous contre eux. » Employez votre autorité et votre leadership de façon constructive. Ne justifiez pas votre propre inaction en citant l'inaction des autres.

Le monde évolue tellement vite aujourd'hui qu'une personne qui dit qu'une chose ne peut être faite est généralement interrompue par une autre qui est en train de le faire.

HARRY EMERSON FOSDICK

En cette ère de changements frénétiques, rester statique équivaut à tirer de l'arrière. Le monde des affaires a plus d'ampleur que jamais et il évolue à une vitesse phénoménale. L'être humain semble doté aujourd'hui d'une soif de progrès intarissable.

Pour devenir un agent de changement dans un domaine donné, il faut avoir l'âme d'un pionnier. La locomotive du progrès ne s'arrête jamais, chose que bien des gens ont du mal à accepter; au lieu de s'employer à créer de nouveaux produits et services, à développer de nouvelles idées ou infrastructures, ces gens restent sur le quai à regarder le train passer. Un bon leader aide les autres à accueillir le changement avec enthousiasme ou, mieux encore, à le provoquer.

Examinez vos actions pour voir en quoi vous résistez au changement. Demandez à un collègue en qui vous avez confiance de vous poser régulièrement la question suivante : « Y aurait-il une autre façon de faire cela ? »

J'ai six fidèles serviteurs qui m'ont enseigné tout ce que je sais ; ils se nomment Où, Qui, Quoi, Quand, Comment et Pourquoi.

RUDYARD KIPLING

La qualité de vos décisions dépend de l'information que vous détenez et des questions que vous posez. Vous devez examiner avec minutie et transparence les causes de chaque problème, de même que les risques et les avantages liés à chaque nouvelle opportunité.

Les problèmes surviennent souvent quand on est plus occupé à donner des ordres qu'à poser des questions. Évitez aussi de créer une atmosphère de travail où les gens hésitent à vous donner des réponses franches parce qu'ils craignent vos réactions.

Ne posez une question que si vous vous sentez prêt à entendre la réponse. Prenez des décisions en vous basant sur ce que vos employés et collaborateurs vous disent, ceci afin de leur montrer que vous respectez leur avis et que vous voulez obtenir des réponses franches, même aux questions les plus difficiles.

N'essayez pas d'être pessimiste. Ça ne fonctionnerait pas de toute manière.

ANONYME

C'est facile de se concentrer sur le négatif et de se laisser prendre par l'ampleur des problèmes qu'il y a dans le monde. Il faut certes être conscient de ce qui ne va pas dans le monde, mais sans porter une attention excessive aux choses négatives qui éveillent en nous un sentiment d'impuissance. Concentrez plutôt vos énergies sur les choses que vous pouvez changer. Vous ne pouvez évidemment pas régler à vous seul tous les problèmes de la Terre – guerres, famines, pauvreté, etc. – ni même ceux de votre entreprise, n'empêche que votre contribution peut s'avérer significative. Des individus résolus et engagés peuvent définitivement changer les choses s'ils travaillent ensemble de façon positive.

Posez dès aujourd'hui un geste visant à améliorer les choses et à faire de ce monde un monde meilleur.

Ce qu'il y a de bien en ce monde, ce n'est pas tant où nous sommes, mais où nous allons : pour atteindre le port du paradis, on vogue tantôt avec le vent et tantôt contre le vent, mais il faut voguer et non rester ancré ou partir à la dérive.

OLIVER WENDELL HOLMES

Le changement est comme un vent qui souffle constamment et dans toutes les directions. Il faut s'y préparer. Il se peut par exemple que vous commenciez un projet pour le délaisser une semaine plus tard à cause de circonstances inattendues. Il est normal de se sentir frustré quand on est pris comme ça au milieu du chaos ; on commence alors à se demander si on ne devrait pas attendre que les choses se calment avant d'agir ou de prendre des décisions importantes.

Vous risquez de commettre une grave erreur en atermoyant ainsi. Le chaos est aujourd'hui la norme, aussi devez-vous agir sans attendre quelque improbable accalmie, sinon vous risqueriez de vous faire damer le pion par un compétiteur.

Continuez de travailler à la réalisation de votre vision et de vos objectifs. Pour avoir espoir d'atteindre un jour votre destination, vous devez continuer d'avancer même quand la mer se fait houleuse.

Prévoyez l'imprévisible en planifiant différents scénarios. Imaginez les chemins que les circonstances pourraient vous forcer à emprunter et ceux que vous êtes susceptibles d'emprunter de votre propre gré. Anticipez les pires possibilités, de même que vos réactions potentielles.

Plusieurs reçoivent des conseils, mais seuls les sages savent en tirer profit.

PUBLILIUS SYRUS

Les personnes qui sont déjà prêtes à vous offrir leurs conseils et leur appui sont votre plus grande ressource. N'hésitez pas à solliciter ces gens au besoin. Vous bénéficierez grandement de leurs idées et de leur expérience.

Écoutez attentivement ce que les autres ont à vous dire. Soupesez les idées qu'ils vous ont apportées, puis prenez la décision qui s'impose. Il est parfois difficile de faire la part entre les bons et les mauvais conseils, mais songez que le pire conseil est celui que l'on refuse d'écouter.

Sollicitez l'opinion des gens que vous admirez. N'attendez pas d'eux qu'ils prennent une décision pour vous, mais écoutez-les attentivement en respectant ce qu'ils ont à vous dire.

SEMAINE 12

LUNDI

On évite bien des écueils en affaires quand on agit avec méthode. Étant méthodique, on se simplifie la tâche, on évite la confusion, on gagne beaucoup de temps et on communique plus aisément aux autres ce qu'ils doivent faire ou ce à quoi ils doivent s'attendre.

WILLIAM PENN

Il ne suffit pas d'être résolu et passionné, d'avoir une vision et des principes pour exceller en affaires. Pour réussir, vous devez aussi mettre en place des processus qui vous aideront à accomplir tout ce à quoi vous aspirez.

Constituez pour chacun de vos objectifs un plan d'action qui prévoit qui fera quoi et qui fixe une date d'échéance. Votre plan d'action doit vous permettre de communiquer régulièrement avec toutes les personnes impliquées, mais aussi de juger si vos valeurs et vos principes sont respectés en cours de route.

Les mots que vous employez pour exprimer votre mission et vos objectifs ne sont pas que des mots : ils se trouveront concrétisés dans les processus que vous instaurerez dans le but de convertir l'essence de votre leadership en résultats tangibles.

Ne vous limitez pas à une seule méthode quand vous mettez en œuvre des processus. Considérez l'ensemble des ressources qui sont à votre disposition, puis choisissez la solution la mieux adaptée à votre entreprise.

Les barils vides sont ceux qui font le plus de bruit.

E. M. Wright

Un leader peut perdre beaucoup de temps et d'énergie à écouter des individus mal avisés, mais forts en gueule. Les personnes qui clament haut et fort leur opinion ne sont pas nécessairement celles qui méritent votre attention.

Il y a autour de vous des gens plus discrets qui vous accordent un soutien indéfectible. Écoutez-vous suffisamment ces personnes? Leur donnez-vous la reconnaissance qu'elles méritent? Exprimez-leur votre gratitude et donnez-leur les outils dont elles ont besoin pour bien faire leur travail. N'écartez pas d'emblée les forts en gueule, mais soyez attentif à ceux qui s'emploient plus discrètement à l'avancement de votre cause.

Prenez quelques minutes chaque semaine pour faire le tour de vos bureaux. Visitez vos collaborateurs les plus discrets et remerciez-les de leur travail et de leur dévouement.

Les habitudes sont plus plaisantes que les règles, c'est pourquoi nous nous plions plus volontiers à elles.

FRANK CRANE

Les habitudes présentent des avantages et des désavantages. D'un côté, elles nous rassurent et nous permettent de nous acquitter presque instinctivement de plusieurs tâches quotidiennes; de l'autre, elles nous poussent à la complaisance et nous rendent réfractaires au changement, même si nous savons que ce serait pour le mieux. Les habitudes deviennent vite des boulets que l'on traîne péniblement derrière soi.

Vous accrochez-vous à des directives et à des procédures même quand la logique vous dit qu'elles sont obsolètes? Y a-t-il des aspects de votre vie que vous pourriez améliorer si vous preniez le temps de les considérer sous un jour différent? Continuez-vous d'essayer de faire affaires avec des gens que vous connaissez bien et avec qui vous êtes à l'aise, mais qui ne sont manifestement pas des clients potentiels? Si des experts en rendement vous suivaient pendant une journée, quels points négatifs soulèveraient-ils?

Faites aujourd'hui même quelque chose de différent. Empruntez un itinéraire différent pour vous rendre au travail. Parlez à une nouvelle personne durant la pause-café. Inscrivez-vous à un cours. Bousculez votre routine et vos perspectives habituelles.

On ne fait bien que ce que l'on aime.

COLETTE

Vos employés qui réussissent le mieux font sans doute un boulot conforme à leurs talents. Ces personnes font ce qu'elles aiment et elles le font bien. Elles sont motivées parce que leur travail coïncide avec leurs intérêts personnels et leur procure une grande satisfaction. C'est probablement l'inverse qui se produit chez les travailleurs dont le rendement laisse à désirer.

Veillez à ce que vos gens trouvent leur travail gratifiant; donnez à chacun la chance de s'épanouir. Chaque personne a le désir inné de mettre ses talents à contribution pour ajouter de la valeur à l'organisation pour laquelle elle travaille, mais aussi parce que cela lui procure une certaine satisfaction personnelle. Faites en sorte que vos employés et vos collaborateurs puissent utiliser leurs talents dans le cadre de leur travail. Ils seront plus heureux, plus actifs, plus productifs... et plus enclins à vous aider à réaliser votre vision.

Lors de votre prochaine étude de rendement, demandez aux membres de votre équipe : « Y a-t-il dans votre travail des choses que vous aimeriez faire plus souvent ? »

Quand je ne pourrai plus rien créer, je serai finie.

COCO CHANEL

Si vous faites toujours les choses comme vous les avez faites auparavant, vous obtiendrez toujours les mêmes résultats qu'auparavant. C'est pourquoi il ne faut pas se fier absolument à son expérience.

Vous êtes constamment assiégé de problèmes et de défis. Il est certes avantageux de pouvoir résoudre un problème rapidement en se basant sur les leçons du passé, toutefois les obstacles auxquels vous faites face présentement sont bien différents de ceux du passé, même s'ils semblent parfois similaires. Les nouvelles technologies et pratiques d'affaires nécessitent des solutions nouvelles.

Il est essentiel de rester créatif, voire même un peu fou dans le contexte actuel, car ce sont bien souvent les solutions les plus farfelues qui fonctionnent le mieux. Même si vous faites fausse route, ce genre d'approche novatrice vous inspirera à trouver la bonne solution.

La prochaine fois que vous serez tenté d'appliquer la solution la plus évidente à un problème, examinez la situation en vous demandant s'il n'y aurait pas une autre façon de procéder. Si vous êtes incapable de trouver une solution plus adéquate ou plus viable, essayez d'utiliser vos nouvelles idées pour bonifier votre idée originelle.

La vie engendre la vie. L'énergie crée l'énergie. C'est en se dépensant qu'on devient riche.

SARAH BERNHARDT

Les grands leaders puisent une partie de leur énergie des convictions, des principes, des valeurs et des intentions qui les soutiennent émotionnellement et intellectuellement. Fondez votre travail sur ces choses et vous serez constamment stimulé, tant physiquement que spirituellement, et ce, même si vous vous dépensez sans compter. Une fois qu'on a donné un sens à sa vie, les tâches les plus monumentales semblent réalisables, la tergiversation fait place à la détermination, l'espoir supplante le doute et la négativité.

Celui dont le travail et la vision sont chargés de sens se sent empli d'une énergie sans cesse renouvelée et d'une satisfaction qui surpasse tous les autres critères par lesquels il mesure le succès de sa vie privée et professionnelle.

Employez-vous à donner un sens à votre vie. À quels moments de votre vie ressentez-vous le plus de passion et d'énergie ? Qu'êtes-vous en train de faire à ces moments-là ? Trouvez des façons d'intégrer ces choses chargées de sens à vos priorités de leadership.

Je suis une de ces personnes qui aiment la vie même quand elle est vache.

POLLY ADLER

On peut prendre la vie avec un grain de sel même quand tout va de travers. Tout dépend du point de vue. Combien de fois vous êtes-vous dit, après avoir essuyé une catastrophe mineure : « Un jour on va repenser à ça et on va en rire. » N'attendez pas trop longtemps pour en rire. Essayez toujours de voir le bon côté des choses. Tout en restant sensible aux réelles tragédies, demandez-vous si vos soucis d'aujourd'hui sont des désastres authentiques ou de simples désagréments. La vie vous semblera moins chaotique et désespérante si vous abordez les situations difficiles avec humour et les gens, avec tendresse. Vous vivrez dès lors un meilleur équilibre.

Employez-vous dès aujourd'hui à voir le bon côté des choses. Abordez avec plus de légèreté les situations que vous considérez habituellement avec gravité.

Nos plus amers regrets nous viennent de ce que l'on n'a pas dit et de ce que l'on n'a pas fait.

HARRIET BEECHER STOWE

Il nous est tous déjà arrivé de vouloir remercier quelqu'un, mais de toujours remettre la chose à plus tard. On se dit qu'on est trop occupé, ou alors on ne trouve jamais le moment opportun. C'est vrai qu'il y a toujours beaucoup à faire et que le temps nous manque parfois, mais quand on laisse passer ce genre d'opportunité, on finit toujours par se sentir coupable et par le regretter.

Votre gratitude est un des plus beaux cadeaux que vous puissiez donner aux gens qui travaillent pour vous ou qui vous ont aidé à réussir. Il n'est jamais trop tard pour exprimer sa reconnaissance. Remerciez les autres le plus spontanément et le plus souvent possible.

Trouvez des façons à la fois simples et sincères de dire « merci » – un petit mot, une poignée de mains, un coup de téléphone, une gâterie, etc. Vous n'avez pas nécessairement à exprimer votre gratitude cérémonieusement ou de façon officielle.

Honneurs et récompenses viennent à ceux qui mettent en œuvre leurs qualités.

ARISTOTE

Chacun de nous est doté de talents uniques et précieux. Cela dit, nous ne mettons pas toujours ces talents à profit.

Quels sont les domaines dans lesquels vous avez du génie? Vous servez-vous de vos talents pour atteindre vos objectifs de vie? Pourriez-vous vous appliquer davantage à la réalisation de ces objectifs? Si oui, comment? Utilisez-vous pleinement vos capacités? Si non, pourquoi?

Ces questions exigent que vous leur répondiez franchement, en étant honnête avec vous-même, car elles peuvent avoir un impact profond sur votre vie.

Révisez votre définition du mot « génie ». Pas besoin d'être un Mozart, un Einstein ou un Michel-Ange pour avoir du génie. Le génie est en grande partie le produit de nos particularités personnelles et de nos penchants naturels.

En aidant les autres à réussir, nous assurons notre propre succès.

WILLIAM FEATHER

Nous sommes liés à tant de gens de tant de manières qu'il est impossible de réussir en solitaire, ou du moins sans toucher la vie d'un tas de gens. Soyez délibéré dans la façon dont vous créez et entretenez vos relations. Vous verrez que cela profitera à tout le monde.

Incluez mille et une façons d'aider les autres dans votre plan de carrière ou de croissance personnelle. Tous les gens qui font partie de votre vie auront besoin de votre aide à un moment ou un autre, que ce soit vos pairs, vos supérieurs ou des personnes qui commencent tout juste à gravir les échelons du succès. Je vous garantis que les personnes que vous aiderez vous rendront la pareille, bien souvent quand vous vous y attendrez le moins et de la façon la plus inattendue.

Imaginez comment vous pourriez aider les autres à réussir, puis saisissez l'occasion quand elle se présente. Offrez votre appui inconditionnel à l'autre sans espérer quoi que ce soit en retour.

SEMAINE 14

LUNDI

La bonne gestion, c'est de montrer à des gens ordinaires à faire le travail de gens supérieurs.

JOHN D. ROCKEFELLER

Les leaders qui montrent aux autres à gérer les situations difficiles et à réussir par eux-mêmes sont les nouveaux héros du monde des affaires. Il fut un temps où les leaders étaient récompensés lorsqu'ils avaient réponse à tout. Aujourd'hui, un leader est récompensé lorsqu'il encourage les autres à trouver leurs propres réponses et à prendre de bonnes décisions.

Le monde est maintenant si complexe qu'une personne ne peut détenir à elle seule toute l'information nécessaire pour prendre une décision rapide et éclairée. Acceptez le fait que vous ne pouvez pas être présent chaque fois qu'il y a une décision à prendre au sein de votre entreprise et apprenez à déléguer le processus décisionnel. Si vous veillez à ce que les gens de votre équipe gagnent en compétence et en expérience, la performance de votre entreprise s'améliorera d'autant.

Faites de votre capacité de résolution de problèmes le standard à égaler, mais ne considérez pas votre aptitude dans ce domaine comme une limite que personne ne doit dépasser.

Il est plus facile d'avoir des principes que de vivre selon eux.

ARNOLD GLASOW

Un principe est une chose beaucoup plus facile à énoncer qu'à appliquer. Peu importe le nombre d'ateliers et de conférences auquel nous assistons, peu importe le nombre de livres que nous lisons sur le sujet, la vie trouvera toujours le moyen de mettre nos principes à l'épreuve. Il y aura toujours, dans cette zone brumeuse qui sépare le bien du mal, quelque juteuse opportunité pour venir nous tenter. Lorsque des amis ou des collègues que vous respectez et admirez prennent des décisions qui vont à l'encontre de vos principes, vous vous dites sans doute: « Eux le font, alors pourquoi pas moi ? »

Les principes ne semblent plus prévaloir aujourd'hui dans le monde des affaires. Bien que vous ne puissiez pas freiner à vous seul le déclin des valeurs morales ou de l'éthique corporative, votre exemple a un impact énorme sur les gens que vous dirigez. Restez fidèle à vos principes, confiant que votre rectitude fera boule de neige.

Lorsque vous avez à prendre une décision ayant une implication morale, dites-vous que vous devez agir de telle façon que vous seriez fier que les journaux en parlent.

Découvrir, c'est regarder la même chose que tout le monde en pensant autre chose que tout le monde.

ALBERT SZENT-GYÖRGYI

Qui aurait pu anticiper, une décennie avant leur apparition, le succès de produits tel le téléphone cellulaire et les feuillets autoadhésifs *Post-it*? Les consommateurs de l'époque n'auraient même pas pu imaginer qu'ils auraient un jour besoin de ces produits.

À un moment, quelqu'un a regardé le monde et a imaginé des besoins que peu de gens auraient pu concevoir. Cette personne n'était sans doute pas plus intelligente que vous et moi, mais elle avait la capacité de voir le monde autrement et d'agir en fonction de ses observations.

Créez dans votre entreprise un environnement qui favorise l'innovation. Réagissez aux idées des gens et encouragez-les à penser de façon inventive. Mais ne vous attendez pas qu'à des traits de génie : vous recevrez probablement des centaines d'idées foireuses pour chaque idée valable. Ces mauvaises idées n'ont peut-être pas de valeur en soi, mais en les recueillant vous installez dans votre entreprise un climat de créativité à la fois excitant et stimulant. Et ça, ça n'a pas de prix.

N'évaluez pas vos produits et vos services uniquement en fonction de la réalité actuelle. Demandez-vous : « Pourrait-on leur trouver d'autres usages ? Que peut-on faire pour augmenter la valeur de nos produits et de nos services aux yeux des consommateurs ? Quels facteurs pourraient rendre nos produits et nos services désuets ? »

Nul homme n'est une île, complète en elle-même ; chaque être humain est un fragment de continent.

John Donne

Vous devez encourager ceux que vous dirigez à remettre en cause le statu quo, c'est un fait ; toutefois leurs idées, en plus d'être excitantes et originales, doivent être compatibles avec les objectifs à long terme de votre entreprise.

Encouragez les autres à rester ouverts aux idées qui, initialement, ne semblent pas compatibles avec votre façon actuelle de faire des affaires. De nouveaux concepts s'esquisseront peut-être avec le temps, grâce à ces idées ; peut-être vous suggéreront-elles de modifier votre vision globale ou vos objectifs à long terme. Faites comprendre à vos collaborateurs que les idées qui ont le plus de chances de réussir sont celles qui sont conciliables avec les plans, les systèmes et les effectifs déjà en place.

Évaluez chaque idée innovatrice en vous demandant : « Cette idée est-elle inusitée, utile et compréhensible ? » Si c'est le cas, trouvez le moyen d'intégrer cette idée à votre plan d'action.

Du moment que l'on est destiné à vivre dans la prison de notre esprit, notre seul devoir est de le bien meubler.

PETER USTINOV

Vous êtes la seule personne à savoir ce qui se passe dans votre esprit. Les autres auront beau essayer de vous sonder, ils ne connaîtront jamais vraiment vos pensées, vos aspirations et vos motivations. En revanche, les gens peuvent librement observer votre comportement. Or, vos actions trahissent vos pensées, même les plus secrètes. Votre discours intérieur dicte en grande partie ce que vous dites et ce que vous faites.

Quand vous êtes dans un état d'esprit positif, vous ressentez une assurance qui se manifeste par des signes extérieurs. De même, quand vous vous sentez d'humeur négative, il vous est difficile de le cacher aux gens que vous cherchez à diriger et à inspirer. Vous aurez plus de facilité à gagner des adeptes à votre cause si vous présentez vos rêves et vos objectifs de façon franche, enthousiaste et positive.

Il ne vous en coûtera rien de meubler votre esprit d'idéaux magnifiques et d'aspirations majestueuses, si ce n'est que de faire l'effort de vous concentrer sur le possible et le positif. Écoutez votre discours intérieur et changez-le au besoin pour le rendre plus constructif.

La vérité est une éternelle conversation qui s'intéresse, avec passion et discipline, aux choses qui comptent... La vérité n'est pas affaire de conclusions, car celles-ci changent sans cesse. La vérité consiste à poursuivre la conversation, avec passion et discipline.

PARKER PALMER

La vérité permet cet acte de foi qui consiste à faire confiance aux autres. Le problème, c'est que perception et réalité sont une seule et même chose. Chacun de nous perçoit le monde d'un point de vue qui lui est propre, par conséquent la vérité est une chose multiple et équivoque. Cela signifie qu'il y aura toujours quelqu'un pour douter de notre franchise et de notre droiture, et ce, même quand on a les meilleures intentions du monde.

Un leader efficace doit se fier à l'expertise et au talent des autres. Il doit établir avec l'autre une relation basée sur la confiance. Ayez une image claire de ce que vous voulez accomplir, puis communiquez régulièrement et ouvertement avec vos collaborateurs, tant quand les choses vont bien que lorsqu'elles vont mal. N'ayez pas une confiance aveugle en les autres – vous risquez de vous faire flouer en faisant cela –, mais faites confiance à tout le moins. Vous verrez que les gens donnent le meilleur d'eux-mêmes quand on a confiance en eux.

Définissez toujours les termes-clés d'un projet en collaboration avec ses participants. Assurez-vous que chacun définit ces termes de la même façon.

J'ai toujours cru, et je crois toujours, que peu importe la bonne ou mauvaise fortune qui nous est échue, nous pouvons lui donner un sens et la transformer en une chose de valeur.

HERMANN HESSE

Il peut être déconcertant de changer. Même les gens qui aiment le changement ont du mal à s'y adapter lorsqu'il provient d'une source qui ne leur permet pas de le contrôler.

Tenez compte des conséquences qu'entraîne le changement : il peut rendre les gens craintifs ; il peut les insécuriser et fausser leur perception de la réalité.

Vous pouvez pallier à l'incertitude et à l'anxiété en incitant vos travailleurs et vos collaborateurs à se concentrer sur les résultats positifs qui découleront des changements que vous préconisez. Aidez les autres à comprendre que le changement est une inévitabilité, tant pour les organisations et les carrières que pour les individus. Faites-leur voir les bienfaits de l'évolution, les opportunités qui en découlent, et non seulement ses inconvénients. Faites en sorte que les autres aient hâte de voir ce que leur réserve l'avenir. Donnez l'exemple en provoquant le changement au lieu d'attendre passivement qu'il ne survienne.

Tenez-vous au courant des développements intéressants dans le monde des affaires et dans la société en général. Comparez vos observations à celles de gens dont vous respectez l'opinion et spéculez quant à l'impact potentiel de ces changements sur votre entreprise ou votre existence.

L'ambition est un rêve équipé d'un moteur V8.

ELVIS PRESLEY

Ce que vous faites vous passionne-t-il ? Votre vision et vos objectifs vous inspirent-ils, vous enthousiasment-ils ?

Choisissez soigneusement vos rêves et poursuivez-les avec toute l'énergie dont vous êtes capable. Faites ce que vous aimez. Mangez-en. Parlez-en. Étudiez. L'enthousiasme engendre le succès, et non le contraire. La passion tend à précéder la fortune, la gloire, l'épanouissement et la sécurité.

Écoutez objectivement votre voix quand vous livrez des messages importants. Où vous situez-vous sur l'échelle entre monotone et survolté ? Tout en évitant ces extrêmes, parlez avec énergie, de manière à communiquer aux autres votre enthousiasme.

Certains voient les choses telles qu'elles sont et disent : « Pourquoi ? » Je rêve des choses qui ne sont pas et dis : « Pourquoi pas ? »

ROBERT F. KENNEDY

Le monde est là pour que vous l'inventiez à votre guise. Vous pouvez vous dire que ceux qui pensent comme ça sont des idéalistes, voire même des irresponsables. Vous pouvez vous convaincre du fait qu'il y a dans le monde des choses que vous ne contrôlez pas et qui vous empêchent de progresser. Si vous choisissez de ne pas mettre à l'épreuve ces perceptions défaitistes, vous ne réaliserez certainement pas vos plus folles ambitions. Votre seule consolation sera alors de vous dire que vous aviez raison.

Pensez à toutes les choses que l'on considérait comme impossibles, mais qui ont été accomplies parce qu'une poignée de rêveurs ont cru que ces choses étaient possibles et sont passés à l'action. Des crises sociales, des catastrophes environnementales majeures ont été prévenues. Des pandémies ont été jugulées et des maladies mortelles, enrayées. Des dictatures ont été renversées. Il reste beaucoup de travail à faire, il y a chaque jour de nouveaux défis à relever, mais une chose est certaine, c'est que les rêveurs ont fait de ce monde un monde meilleur.

Et vous, oserez-vous rêver ?

Imaginez les choses et dites-vous : « Pourquoi pas ? »

Les gens devraient penser les choses à neuf au lieu de simplement accepter les règles et façons de faire conventionnelles.

BUCKMINSTER FULLER

Trop de gens et d'organisations croient qu'ils n'ont rien à apprendre des autres. C'est une mentalité désastreuse que de dire: «Si ça n'a pas été inventé ici, ça ne nous intéresse pas.» Les individus ou les entreprises qui pensent ainsi rejettent les nouvelles façons de faire ou de penser – une attitude qui les vouera très certainement à l'échec. Les organisations stagnantes ne survivent pas, peu importe que leur cause soit juste, que leur produit soit bon ou leur chiffre d'affaires au beau fixe.

Vérifiez constamment vos produits, vos services et vos processus pour voir s'il n'y aurait pas lieu de les améliorer. Restez à l'affût des idées nouvelles qui pourraient vous aider en ce sens. Ne faites pas de distinction entre les idées qui proviennent de votre entreprise et celles qui viennent de l'extérieur. Vous n'avez pas nécessairement à être le propriétaire ou le géniteur des concepts que vous utilisez: bien des grandes compagnies doivent leur succès à des idées empruntées à d'autres, mais qu'elles ont adaptées ensuite. Tout ce qui compte, c'est que ces idées et ces concepts aident votre entreprise à devenir plus efficace, plus productive et plus compétitive.

Restez à l'affût des idées que vous pourriez «emprunter» pour faire progresser votre entreprise. Prenez note des pratiques d'affaires qui ont l'heur de vous impressionner. Adaptez puis appliquez les stratégies qui vous semblent potentiellement avantageuses.

Les diamants sont des morceaux de charbon qui ont persévéré.

MINNIE RICHARD SMITH

La ténacité est une valeur que l'on oublie souvent. Le fantasme du succès instantané est certes séduisant, mais il se réalise rarement. Nous aimons tous entendre parler des gagnants du loto, des succès financiers à l'emporte-pièce et de toutes ces histoires de réussite soudaine dont les médias font grand cas. Les histoires de gens qui, jour après jour, travaillent dur pour se rapprocher peu à peu d'un objectif à long terme nous fascinent beaucoup moins. C'est pourtant ce genre de travail soutenu qui engendre les réussites durables.

La persévérance paie des dividendes. En revanche, les fantasmes de succès instantané ne feront que vous détourner de vos objectifs. Ne baissez pas les bras avant d'avoir exploré toutes les avenues susceptibles de vous mener à la réussite. N'abandonnez qu'en dernier recours.

Dotez-vous d'une persévérance dont tous vanteront les mérites. Sollicitez l'aide ou l'avis de d'autres personnes si vous êtes à bout de ressources.

Mettez-vous à la place du vendeur quand vous achetez et de l'acheteur quand vous vendez, ainsi vous achèterez et vendrez équitablement.

SAINT FRANÇOIS DE SALES

Ceux qui appliquent la « règle d'or » ou « éthique de la réciprocité » dans leurs relations avec les autres pourraient pousser l'empathie encore plus loin s'ils voyaient les choses un peu différemment : au lieu de traiter les autres comme vous voudriez être traité, traitez les autres comme ils veulent être traités.

Mettez-vous à la place de l'autre quand vous voulez lui vendre quelque chose, que ce soit une idée, un produit ou votre vision des choses. Voyez les choses telles qu'il les voit ; éprouvez ce qu'il ressent. Essayez de saisir ce que votre idée, votre produit ou votre vision signifie pour lui. Formulez votre proposition de telle sorte qu'il sache que ses besoins vous tiennent à cœur et que vous comptez agir dans son intérêt. Vous serez étonné du nombre de réponses positives que vous obtiendrez en procédant ainsi.

Concentrez-vous sur les préoccupations réelles ou potentielles, sur les motivations et sur la situation actuelle de vos clients et de vos employés, tant à l'interne qu'à l'externe. Employez-vous à découvrir quels sont les intérêts des gens avec qui vous faites affaire.

Ne faites pas confiance au subalterne qui ne critique jamais son supérieur.

JOHN CHURTON COLLINS

Le monde est rempli de lèche-culs. Quantité de leaders s'entourent à tort de flagorneurs qui leur disent uniquement ce qu'ils veulent entendre.

Personne n'aime être contredit. Les leaders, plus que les autres, peuvent être tentés de n'écouter que ceux qui abondent en leur sens, ceux qui sont du même avis qu'eux. Même si vous êtes une sommité dans votre domaine, vous devez avoir l'humilité de reconnaître que vous êtes dans l'erreur quand vous avez tort. Vous devez aussi avoir dans votre équipe des personnes compétentes qui vous avertiront quand vous faites fausse route. Avec leur aide, vous éviterez de faire des choix qui risquent de compromettre vos chances de succès.

Ne cherchez pas à tout prix l'approbation des autres. Montrez aux gens qui vous expriment courageusement leur désaccord que vous appréciez leur franchise. Insistez pour qu'on vous dise toujours la vérité.

Une compagnie ne peut pas augmenter sa productivité. Seuls les gens le peuvent.

ROBERT HALF

Diminuer les dépenses et couper dans les effectifs n'assure pas le succès en affaires. Même si les gens ne s'attendent plus désormais à conserver un même poste toute leur vie, vous ne pouvez pas impunément éliminer des emplois ou couper les salaires sous prétexte d'augmenter vos profits à court terme. Vous ne créerez pas un climat de travail propice à l'enthousiasme, au dévouement et à la performance si vous traitez vos employés comme s'ils étaient de simples équipements interchangeables. En faisant ainsi abstraction des notions d'espoir et d'engagement, c'est le cœur même de votre entreprise que vous attaquez.

Allez-y avec prudence et délicatesse quand vous procédez à un remaniement du personnel. Favorisez autant que possible la stabilité et la sécurité d'emploi. Si les circonstances font que cinq personnes doivent travailler comme dix, fournissez-leur les outils nécessaires et les technologies adéquates, ajustez vos objectifs et faites le nécessaire pour créer un milieu de travail sain et réaliste.

Dans votre organisation, ce sont les gens que vous dirigez qui font toute la différence. L'investissement qu'ils représentent en termes de formation, de maintien et de développement n'est probablement rien comparé à ce que le reste de vos actifs vous a coûté.

Si le monde est si mal en point, c'est que les fous et les fanatiques sont toujours très sûrs d'eux, tandis que les gens plus éclairés sont criblés de doutes.

BERTRAND RUSSELL

Vous avez accès aujourd'hui à une quantité phénoménale de données qui vous permettent de formuler des statistiques, d'évaluer la performance de votre entreprise et de faire des prévisions. Mais vous aurez beau produire des rapports sur chaque facette de votre organisation, rien ne pourra éliminer l'élément de risque du processus décisionnel. Vous avez les compétences nécessaires pour analyser les données, mais vous devez aussi vous fier à votre intuition et à votre expérience quand vient le temps de prendre des décisions majeures.

Plus on a d'information à sa disposition et plus il devient important de développer sa capacité d'interpréter correctement la signification de ces données.

Ayez foi en vous-même, surtout au moment de prendre des décisions difficiles. Tout ce que vous avez fait jusqu'ici vous a préparé à affronter votre prochain moment décisif.

Nos différences remettent en cause nos présomptions.

ANNE WILSON SCHAEF

La diversité est l'un des meilleurs atouts dont une organisation peut disposer: elle est gage de souplesse et de créativité. Les individus qui ont des peurs et des préjugés de diverse nature – race, nationalité, âge, religion, statut social, affiliation politique, etc. – ne peuvent se prévaloir de ce précieux atout. Nous devons tous essayer de mieux apprécier la richesse et la diversité de la race humaine.

Promouvoir la diversité dans votre entreprise suppose certains efforts de votre part; vous aurez à faire un travail sur vous-même en plus des autres nouveaux défis que vous aurez à relever. Une amélioration de vos aptitudes interpersonnelles sera peut-être nécessaire afin que vous puissiez mieux comprendre, travailler et collaborer avec des gens de différentes cultures, religions et nationalités. Une chose est certaine, c'est que les gens vous jugeront en se basant en partie sur votre capacité à regrouper des individus différents.

Encouragez les gens que vous dirigez à découvrir leurs similarités tout en chérissant leurs différences. Capitalisez sur la diversité.

Posez chaque jour des gestes concrets pour mettre la diversité en valeur au sein de votre organisation. Identifiez les présomptions et les préjugés que vous nourrissez à l'égard de certaines personnes. Ces présomptions et ces préjugés vous incitent-ils à sous-estimer ces individus? Utilisez-vous ces gens à leur plein potentiel?

Les innovateurs sont inévitablement controversés.

EVA LE GALLIENNE

La peur d'être rejeté est l'un des pires pièges dans lequel on puisse tomber. Nous nous sentons tous visés personnellement quand on nous critique ou nous contredit, néanmoins un leader ne peut pas agir simplement pour obtenir l'amour ou l'approbation d'autrui.

En tant que leader, vous ne devez pas consentir à des choses auxquelles vous vous opposez fondamentalement ; vous ne devez pas non plus taire une idée parce qu'elle risque de soulever la controverse. Vous vous devez d'être innovateur, or, l'innovation et le changement ont tendance à rendre les gens mal à l'aise. Certaines personnes s'opposeront à vos idées, mais songez que l'opposition peut être une chose constructive. Concentrez-vous sur les problèmes à régler et non sur la personnalité des gens, et incitez les autres à faire de même. Si vous restez fidèle à vos convictions et à vos idées, les gens vous respecteront même quand ils seront en désaccord avec vous.

Créez un environnement de travail qui encourage les gens à prendre des risques et à innover. Permettez que l'on vous pose des questions difficiles ou épineuses. Le libre échange d'idées est beaucoup plus important que l'approbation des autres.

Vous ne pouvez pas choisir quand vous mourrez. Ou comment. Vous pouvez seulement décider comment vous allez vivre. Maintenant.

JOAN BAEZ

N'attendez pas qu'il vous arrive une tragédie ou de tomber gravement malade avant de comprendre à quel point chaque moment est précieux. Si vous caressez un projet ou un rêve, agissez dès aujourd'hui pour commencer à le concrétiser – ou du moins faites le minimum pour le garder en vie. Vos objectifs ne seront pas plus faciles à atteindre si vous attendez toujours le moment idéal pour agir et vos rêves, pas plus faciles à réaliser.

Quand on s'emploie à concrétiser une vision ou un rêve, les choses ont tendance à se mettre en place d'elles-mêmes, parfois inexplicablement et souvent d'une façon autre que ce qu'on aurait pu anticiper.

Si on vous annonçait que vous n'aviez plus que six mois à vivre, que feriez-vous du temps qu'il vous reste ? Pensez-y, car au fond aucun d'entre nous ne sait quand viendra sa dernière heure.

Toute nouvelle connaissance soulève de nouvelles questions.

SUSANNE K. LANGER

Quand on dit que la réponse est dans la question, cela signifie qu'on dicte ce qu'on veut entendre à travers ce que l'on demande. En d'autres mots, nous formulons nos questions de manière à obtenir la réponse désirée.

Évitez de fausser vos questions de la sorte. Cela vous réconfortera peut-être en vous donnant l'illusion que vous participez au processus décisionnel des autres, mais en procédant ainsi vous n'obtiendrez pas les renseignements, les analyses et les points de vue dont vous avez besoin pour diriger efficacement votre entreprise.

Posez des questions ouvertes qui ne sous-entendent pas leurs réponses. Écoutez les réponses que l'on vous donne de façon objective et impartiale, en faisant abstraction de vos désirs et de vos attentes.

C'est facile de faire de l'agriculture quand un stylo nous tient lieu de charrue et qu'on se trouve à cent lieues d'un champ de maïs.

DWIGHT D. EISENHOWER

Votre travail devient plus complexe chaque fois qu'on vous offre une promotion ou qu'on vous confie de nouvelles responsabilités. Même si elles restent les mêmes, vos tâches s'étendent désormais à un nouveau département, à une nouvelle division, voire à un autre pays ou à un autre continent, ce qui fait que vous devez composer avec un champ élargi de produits et d'individus. En pareilles circonstances, gardez confiance en vous-même tout en étant conscient des nouveaux défis que présente votre changement de situation.

Attendez-vous à devoir toucher à des domaines que vous ne connaissez pas. Prenez le temps d'apprendre les bases de ces nouveaux champs d'activité. Fiez-vous aux gens qui ont de l'expérience dans le domaine. Déléguez. Soyez positif. Si vous faites preuve d'humilité et de curiosité, vous pourrez tourner votre statut de novice à votre avantage et gagner la confiance et le soutien de votre nouvel entourage.

Facilitez la transition vers de nouvelles responsabilités en ouvrant la communication avec vos nouveaux collaborateurs. Quémandez leur avis sur les points importants, incluant ce qu'ils pourraient faire pour mettre leurs compétences à contribution.

SEMAINE 18

LUNDI

Allez toujours selon votre nature ; ne désertez pas les domaines de prédilection pour lesquels vous avez du talent. Soyez tel que la nature vous a conçu, et vous réussirez ; vous serez moins que rien si vous essayez d'être quoi que ce soit d'autre.

SYDNEY SMITH

Tout va pour le mieux dans un environnement de travail donné quand les gens font des choses qu'ils aiment et pour lesquelles ils ont une prédisposition naturelle. Votre propre expérience démontre cela de belle façon : vous avez vous-même réussi parce que vous avez su mettre vos talents à profit. Où ces talents vous mèneront-ils maintenant ? Et plus précisément : que pouvez-vous faire en tant que leader pour donner aux autres la chance d'utiliser leurs talents et leurs compétences dans leur milieu de travail ?

Connaissez-vous les différents talents des individus que vous dirigez ? Exploitez-vous, exploitent-ils ces talents au maximum ? Faites-en sorte qu'ils voient en leur travail plus qu'un simple boulot. Si vos gens s'épanouissent à travers leur travail, ils produiront des résultats qui surpasseront de beaucoup vos attentes.

Évaluez la performance en termes de compétence et de capacité à relever les nouveaux défis. Si quelqu'un trouve son travail ennuyeux, renouvelez son engagement en sollicitant davantage ses talents et ses compétences. Si quelqu'un est stressé parce qu'il trouve son travail trop exigeant, aidez-le à parfaire sa formation afin qu'il puisse acquérir les connaissances et les compétences qui lui manquent.

Converser, c'est être capable de continuer la discussion même quand on est en désaccord.

DWIGHT MACDONALD

Pour vraiment communiquer, il faut être capable d'être ouvert et franc, même sur les sujets épineux. Malheureusement, dans bien des organisations, les gens ont peur de remettre en cause les idées des autres; cela mène à une certaine «culture de la politesse», à un climat gentil et rassurant, certes, mais qui finit toujours par s'avérer néfaste, restrictif, voire même destructeur.

Pour que votre équipe donne son rendement optimal, vous devez donner l'exemple en montrant aux autres comment discuter de façon constructive quand il y a désaccord. Faites-leur comprendre que vous ne vous en prenez pas à leur intégrité quand vous débattez leurs propositions ou leurs idées. Concentrez-vous sur leurs bonnes intentions et sur ce qu'il y a de bon dans ce qu'ils proposent ou avancent. Discutez dans l'optique de faire avancer les choses et non dans le but de démolir l'autre; encouragez les autres à faire de même.

Faites en sorte que vos collaborateurs ne craignent pas d'exprimer leur opinion. Lorsque quelqu'un soulève une question épineuse, ouvrez les voies de la communication en posant des questions du genre: « Peux-tu m'en dire un peu plus à ce sujet? » Montrez que vous êtes prêt à discuter pour approfondir les choses, et ce, même quand il y a désaccord ou confrontation.

L'homme n'est pas sur Terre seulement pour voir à son propre bien-être. Il est ici pour accomplir de grandes choses pour l'humanité.

VINCENT VAN GOGH

Pourquoi travaillez-vous? Faites-vous un travail que vous n'aimez pas simplement pour survivre, pour payer votre loyer? Avez-vous toujours hâte au week-end pour pouvoir enfin vous reposer, vous éclater et oublier ce boulot qui vous pèse? Vous n'êtes pas seul. Bien des gens sont dans cette situation.

En tant que leader, vous êtes en bonne position pour aider les gens à se réaliser. Vous donneriez ainsi un sens à votre existence par-delà la satisfaction personnelle. Se mettre au service de l'humanité est un défi de taille qui exige d'énormes sacrifices, néanmoins les leaders qui ont résolu d'œuvrer pour une bonne cause y trouvent toujours leur compte: la bonté, l'énergie des gens qu'ils rencontrent, la satisfaction d'agir pour le bien d'autrui deviennent pour eux autant d'inestimables récompenses. Travailler pour une bonne cause vous donne l'occasion de rendre à la société un peu de ce qu'elle vous a donné. C'est aussi une façon pour vous de remercier la vie pour les talents dont vous avez hérité.

Soyez attentif aux bonnes causes qui vous interpellent ou sollicitent votre attention. Donnez de votre temps à des causes qui vous semblent importantes et justes.

Le succès est fait à 99 pour cent d'échec.

SOICHIRO HONDA

L'échec est source de déception et d'embarras. Il blesse l'amour-propre. Bien des gens deviennent démoralisés ou déprimés à la suite d'un échec.

Essayez de voir l'échec comme une opportunité d'apprentissage au lieu de gaspiller votre énergie à essayer de l'éviter. Invitez les autres à faire de même. Considérez vos erreurs comme des atouts, comme des pierres de gué qui vous mèneront sur la rive de votre ultime objectif. Servez-vous d'eux pour réorienter votre tir et décider de la meilleure façon de procéder à l'avenir, mais aussi pour identifier les compétences qui vous manquent.

N'ayez pas peur de faire des erreurs. Accueillez-les avec joie au lieu de perdre votre temps à essayer de les éviter ou de les dissimuler.

Créez un climat de travail où les gens peuvent discuter ouvertement de leurs erreurs, des leçons qu'ils en ont tirées et de ce qu'ils ont pu accomplir à partir de là.

L'inspiration est l'impact d'un fait sur l'esprit préparé.

LOUIS PASTEUR

L'inspiration peut surgir à tout moment, certes, néanmoins ce n'est pas une chose mystique qui survient comme par magie, tel un éclair de génie. L'inspiration exige travail et préparation, et elle nécessite que l'on soit attentif à ce qui se passe autour de nous.

Stimulez votre esprit et votre imagination. Prenez des leçons de quelque chose, trouvez-vous un nouveau passe-temps, apprenez une langue étrangère. Lisez, regardez la télévision, allez au théâtre et au cinéma. Jouez avec des enfants. Écoutez les autres. Posez des questions. Soyez curieux. Ouvrez votre esprit. Soyez ainsi, et l'inspiration viendra tout naturellement, de l'intérieur.

Remettez-vous-en à votre subconscient quand vous avez du mal à trouver une solution à un problème. Sachez quand remettre les choses à plus tard pour laisser travailler tous ces mécanismes intérieurs. Une procrastination stratégique peut parfois favoriser la créativité.

Les gouttes de pluie creusent la pierre non par la violence,
mais par leur chute répétée.

LUCRÈCE

Quand on motive les autres par la peur et l'intimidation, on obtient parfois des résultats à court terme, mais au prix de bien des risques à long terme. Ce n'est pas en criant et en donnant des ordres que vous tisserez des liens durables et productifs avec les gens que vous dirigez. Soyez assuré au contraire qu'ils trouveront des moyens très imaginatifs de vous éviter – ou pire encore – si vous leur faites la vie dure. La qualité de la relation d'un individu avec son patron est l'un des principaux facteurs qui déterminent si cet individu choisira de rester à son poste ou décidera de changer de boulot.

Dirigez les gens avec douceur et persuasion. Votre détermination et votre ardeur au travail sauront vous attirer le dévouement des personnes dont vous avez besoin pour atteindre vos objectifs.

L'une de vos tâches les plus importantes consiste à créer
une image claire et succincte de ce que vous voulez accomplir.
Résumez votre vision en un message que vous répéterez encore
et encore aux personnes concernées. Répétez-le jusqu'à ce que
vous soyez vous-même fatigué de l'entendre !

L'année de mes 87 ans, j'ai été témoin de toute une succession de révolutions technologiques. Aucune de ces innovations n'a rendu obsolète la nécessité de la détermination ou de la réflexion chez l'individu.

BERNARD M. BARUCH

Trouver et former des gens capables de s'adapter rapidement aux nouvelles technologies est un défi de tous les jours pour le leader. La stratégie la plus visionnaire consiste à favoriser l'apprentissage continu au sein de votre entreprise.

Personne ne peut prédire le futur avec précision. Vous ne pouvez pas savoir d'avance quelles compétences seront indispensables dans un proche avenir, par contre, vous pouvez constituer une infrastructure d'apprentissage continu qui permettra à vos employés et à vos collaborateurs de constamment acquérir de nouvelles connaissances et compétences. Cet appareil d'apprentissage sera bénéfique aux individus qui travaillent pour vous, mais au bout du compte ce sera vous – et votre entreprise – qui en bénéficierez le plus.

Voyez la formation comme un investissement et non comme une dépense, comme un processus continu et non comme une nécessité ponctuelle.

Le rire est le jogging de l'intérieur.

NORMAN COUSINS

Le rire est bénéfique, même en milieu de travail – non, sans blague. Il détend, contribue à la santé générale de l'individu et stimule sa créativité.

Que faites-vous pour encourager le rire dans votre milieu de travail ? Il y a des moments qui nécessitent un sérieux absolu, mais on ne peut pas travailler des journées entières dans une sombre gravité sans que le moral des troupes en soit affecté. Rigoler un peu de temps à autre permet de mieux se concentrer ensuite. On peut s'amuser tout en étant productif – de fait, les gens qui s'amusent en travaillant sont plus friands de nouveaux défis et abattent généralement plus de boulot que leurs confrères et consœurs de travail. Allez, donnez l'exemple ! Riez un peu et les autres vous imiteront avec joie.

Trouvez ce qu'il y a d'humoristique dans votre domaine et dans vos activités. Suivez l'exemple du pilote de ligne qui dit à ses passagers : « Vos sièges peuvent servir de dispositif de flottaison en cas d'amerrissage forcé. S'il survient pareille éventualité, vous pouvez les prendre avec les compliments de la maison. »

Nous mourrons le jour où nos vies cesseront d'être illuminées par la radiance sans cesse renouvelée de l'émerveillement, dont la source dépasse l'entendement.

DAG HAMMARSKJÖLD

À quand remonte la dernière fois où vous avez regardé un coucher de soleil ? Mais alors là, vraiment regardé, en vous arrêtant pour admirer sa magie et sa beauté, pas seulement en y jetant un coup d'œil furtif sur la route en revenant de travailler.

Tout va si vite aujourd'hui, la vie défile à une telle allure qu'il devient d'autant plus important de s'arrêter un instant pour s'émerveiller devant ce que le monde a de beau et de majestueux. Prenez le temps de savourer la beauté spectaculaire des levers et des couchers de soleil. La nature est une grande nourricière.

Sortez prendre l'air. Allez vous promener dans les bois ce week-end, ou même ce midi, à l'heure du lunch. Asseyez-vous dans l'herbe, appuyez-vous contre un arbre. Trouvez toutes sortes de petites façons de vous rapprocher de la nature.

Faites tout le bien que vous pouvez
Par tous les moyens que vous pouvez
De toutes les façons que vous pouvez
Partout où vous le pouvez
Chaque fois que vous le pouvez
À tous les gens que vous pouvez
Aussi longtemps que vous le pouvez

JOHN WESLEY

L'humanité a besoin de leaders qui, par-delà leurs ambitions financières, sont profondément engagés à bâtir un monde meilleur. Les deux choses ne sont pas incompatibles. Les actionnaires veulent des dividendes et de votre côté vous voulez réaliser vos rêves financiers, mais n'oubliez pas qu'une entreprise, et particulièrement une grosse corporation, peut user à bon escient du pouvoir et de l'ascendant énorme qu'elle a sur tous les aspects de la société. Les problèmes auxquels l'humanité fait face aujourd'hui peuvent sembler insurmontables, néanmoins chaque leader peut tenir compte du bien-être global de l'humanité dans sa vision d'entreprise et dans ses pratiques financières.

Les gens que vous dirigez travailleront plus fort et se sentiront mieux s'ils savent que leurs efforts servent une noble cause. Il en va de même pour vous. Nombreux sont les bénéfices, financiers et autres, que récoltera le leader humain et généreux.

Révisez votre vision, vos plans et vos objectifs. Évaluez-les selon qu'ils contribuent ou non au bien-être de l'humanité et de la société.

SEMAINE 20

LUNDI

Un cheval ne court jamais si vite que lorsqu'il a un autre cheval à rattraper et devancer.

OVIDE

Vos compétiteurs peuvent être une menace pour votre entreprise, mais ils peuvent aussi être le moteur qui vous pousse à l'amélioration et au changement. Les frontières du capitalisme continuent de s'étendre et ses enjeux, de changer. De nouveaux protagonistes font continuellement irruption sur le marché. Cela dit, l'existence même de compétiteurs est la meilleure indication de la valeur et de la viabilité à long terme de vos produits et de vos services. Votre défi – qui est aussi une opportunité – consiste à trouver des façons de devancer la compétition.

Vos compétiteurs n'abandonneront pas brusquement la course ; ils seront toujours là. Étudiez-les. Identifiez leurs atouts. Employez-vous à surpasser leurs produits et leurs services en qualité tout en vous assurant qu'avec vous, le client en a plus pour son argent. Utilisez l'urgence engendrée par la présence de rivaux pour stimuler l'innovation au sein de votre propre entreprise.

Encouragez votre équipe à essayer les produits et les services de vos compétiteurs. Ce n'est pas en faisant comme si la compétition n'existait pas que vous apprendrez quelque chose à son sujet.

La profession du cadre d'entreprise consiste à prendre des décisions.
L'incertitude est son adversaire.
Vaincre cet adversaire est sa mission.

JOHN MACDONALD

Le plus grand risque que peut prendre une entreprise est paradoxalement de ne prendre aucun risque.

Vous composez chaque jour avec une vaste somme d'informations. Il n'y a pas de limites quant à la quantité de données que vous pouvez utiliser pour mesurer les probabilités, comparer les variables, évaluer la compétition ou conduire des analyses de rendement. Les chiffres sont très importants dans le processus décisionnel, cela dit, vous n'aurez jamais assez de données pour assurer l'infaillibilité de vos décisions.

Ayez confiance en vous et en votre équipe. Prenez des risques mesurés qui sont le fruit d'une mûre réflexion. Même si votre plan connaît des ratés, vous en sortirez gagnant du moment que vous apprenez de vos erreurs.

Encouragez votre équipe à prendre des risques, mais des risques mesurés. Faites comprendre aux autres que vous considérez l'échec comme une opportunité d'apprendre et de s'améliorer.

Pour réussir, il est nécessaire d'accepter le monde tel qu'il est, puis de se hisser à un palier supérieur.

MICHAEL KORDA

Le monde n'est pas parfait. La criminalité, la faim, la pauvreté, la guerre, la toxicomanie, le désespoir, la misère infantile sont des problèmes qui nous préoccupent tous. Même si nous ne pouvons pas résoudre ces problèmes, nous pouvons agir en tant qu'individus pour changer les choses.

Vous trouverez la force d'agir contre la misère et l'injustice si vous vous attardez à contempler la beauté du monde. Laissez une fleur, un beau paysage ou la bonté des gens vous inspirer. La vie est pleine de mystères, de tragédies, mais aussi de bénédictions. Or, on ne peut voir ce qu'il y a de bon et de beau dans le monde et dans les gens que si on est sensible à la souffrance. Affinez votre conscience, puis adhérez à une bonne cause qui vous permettra de bâtir un monde meilleur.

Portez aujourd'hui une attention particulière à ce qui vous attriste dans l'actualité. Mettez-vous en colère contre ces choses, puis faites de cette colère le moteur d'une intervention sociale et humanitaire.

L'expérience n'a pas de valeur éthique. C'est seulement le nom que les hommes donnent à leurs erreurs.

OSCAR WILDE

Expérience n'est pas synonyme d'expertise, pas plus que le manque d'expérience est synonyme d'incompétence. Si un individu manque d'expérience, cela ne diminue en rien son potentiel de réussite au sein de votre équipe.

Sélectionnez avec soin les nouveaux membres de votre équipe, en considérant l'expérience qu'ils ont acquise dans des postes semblables à ceux que vous offrez. Leur expérience leur permettra de comprendre rapidement la dynamique de votre situation.

Mais l'expérience n'est qu'un facteur parmi tant d'autres dans l'évaluation des nouveaux candidats, surtout dans ce marché changeant. Les références, la connaissance globale des marchés, les capacités analytiques, la formation, l'attitude personnelle et le désir d'apprendre sont autant d'éléments que vous devez aussi considérer. Choisissez des candidats qui semblent aptes et disposés à s'adapter à de nouvelles situations. Donnez-leur ensuite les outils dont ils ont besoin pour mener à bien ce processus d'adaptation. N'hésitez pas à développer au sein de votre entreprise les compétences nécessaires à l'atteinte de vos objectifs.

Souvenez-vous de vos humbles débuts. Quand vient le temps de confier une tâche à un employé qui n'a pas tout à fait l'expérience voulue, songez à un projet que vous avez mené à bien alors que tous considéraient que vous n'aviez pas les compétences nécessaires.

Tout ce qui nous irrite chez les autres peut nous aider à nous comprendre nous-mêmes.

CARL JUNG

Personne n'aime se voir tel qu'il est. Les psychologues disent que nous avons tendance à ressentir de l'irritation envers les personnes dont le comportement reflète nos propres lacunes. La prochaine fois que vous ressentirez pareille irritation, demandez-vous pourquoi le comportement de l'autre vous agace à ce point. Il se peut que vous vous retrouviez confronté à vos propres insuffisances.

Bien souvent, quand quelqu'un nous indispose, des mécanismes de défense subconscients s'enclenchent et nous empêchent de voir que le comportement d'autrui nous renvoie à nous-même. C'est malheureux, car examiner franchement et ouvertement les comportements – bons ou mauvais – des autres peut être très bénéfique, tant pour vous que pour eux. Quels comportements suscitent en vous la colère ? Pouvez-vous établir un parallèle entre ces comportements et vos propres actions ?

Quand vous vous sentez irrité par le comportement de quelqu'un d'autre, réfléchissez un instant pour voir si le problème ne résiderait pas dans votre propre comportement plutôt que dans celui de l'autre.

Il est dur d'échouer, mais encore pire de n'avoir jamais tenté de réussir.

THEODORE ROOSEVELT

Il est probable que certains de vos employés se préoccupent davantage de l'échec que de la réussite. Les individus qui ont ce genre d'attitude préfèrent ne rien faire plutôt que d'agir lorsqu'ils entrevoient une possibilité d'échec.

Vous devez aider ces gens à surmonter leurs craintes. Montrez-leur combien leur peur est irrationnelle ; aidez-les à voir leur potentiel de réussite et faites-leur comprendre que vous vous attendez à ce qu'ils prennent des risques mesurés lorsque nécessaire. Vous devez une partie de votre succès à votre propension à l'action. Enseignez cette aptitude à vos gens et c'est toute votre entreprise qui en bénéficiera.

Soyez patient quand vous sentez que les autres agissent – ou s'empêchent d'agir – parce qu'ils ont peur. Aidez-les à analyser la situation afin qu'ils puissent voir ce qui peut arriver s'ils prennent un risque et ce qui peut arriver s'ils n'agissent pas.

C'est amusant de faire l'impossible.

WALT DISNEY

Peu de gens ont cru que l'homme marcherait un jour sur la lune. Le scepticisme généralisé n'a pas empêché une poignée de visionnaires de travailler pour que ce rêve devienne réalité.

Vos plans ne sont peut-être pas aussi grandioses que ceux de la NASA, n'empêche que vous rencontrez sans doute régulièrement des gens qui sont réfractaires à vos idées. Il est difficile de convaincre des personnes qui font les choses de la même manière depuis longtemps qu'il y a des façons meilleures et différentes de procéder. Ces gens vous diront peut-être que ce que vous voulez faire est impossible, mais ne vous laissez pas démonter pour autant. Si vous êtes déterminé, si vous croyez en votre vision et pensez qu'elle est réalisable, alors vous arriverez à vos fins.

Ne laissez pas les doutes des autres vous détourner de vos rêves. Le scepticisme d'autrui n'est qu'un obstacle de plus à surmonter sur ce nouveau territoire que vous songez à explorer.

On ne peut pas pousser une vague sur la grève plus rapidement que l'océan ne la porte.

SUSAN STRASBERG

Pensez à une de ces journées où tout allait de travers, comme si des forces extérieures vous mettaient des bâtons dans les roues. Une journée où, en dépit de vos efforts, personne ne semblait vous écouter ni s'intéresser à vos projets. Dans ces moments-là, on a l'impression que nos objectifs sont inatteignables et nos échéances, irréalistes. Puis, tout à coup, après maints délais et contretemps, tout se met à bien aller et les choses se font presque d'elles-mêmes.

Progresser est une chose qui se fait rarement en douceur et de façon prévisible. Cela peut être frustrant, surtout si vous avez l'habitude de maîtriser la situation et de respecter vos échéanciers. Considérez les contretemps comme des choses inévitables, et non comme des contrariétés. Qui sait, les retards qu'ils entraînent s'avéreront peut-être providentiels.

Quel que soit votre titre, gardez en tête que vous ne pouvez pas tout contrôler. Quand les choses ne vont pas à votre goût, essayez de voir comment vous pourriez tirer parti de la situation.

Rien n'est plus difficile à expliquer qu'une chose que tout le monde refuse de voir bien qu'elle soit d'une évidence flagrante.

AYN RAND

C'est effarant de constater le nombre de problèmes, dont certains de proportions monumentales, que les gestionnaires d'entreprise préfèrent passer sous silence.

Pourquoi agit-on ainsi ? Est-ce parce qu'on ne veut s'occuper que des problèmes qui ont une solution facile ? Est-ce parce que nous n'avons pas les compétences et les contacts nécessaires pour se sortir de l'embarras sans causer de dommages collatéraux ? Ou sommes-nous trop à l'aise dans notre rôle de victime, trop pris à espérer que les problèmes disparaîtront d'eux-mêmes si nous continuons de les ignorer ?

En votre qualité de leader, c'est à vous de mettre fin à cette fâcheuse mascarade. Prenez le taureau par les cornes et regardez bien en face les problèmes qui minent votre entreprise. Il y a fort à parier que, suivant votre initiative, vos collaborateurs admettront qu'ils connaissaient déjà l'existence du problème. Encouragez les autres à voir les choses telles qu'elles sont et à prendre l'initiative d'aborder d'emblée les problèmes qui nécessitent leur attention.

Même si un problème vous semble évident, cela ne veut pas dire que les autres l'ont relevé. Demandez régulièrement à vos collaborateurs de prendre le temps d'identifier les obstacles qui risquent d'affecter leur performance. Montrez-leur aussi comment aborder constructivement les problèmes qu'ils ignorent depuis un moment.

Le changement est inévitable et le progrès, optionnel.

ANONYME

Il est faux de dire que les gens n'aiment pas le changement. La nouveauté joue un rôle important dans notre vie, mais il faut souligner ici une nuance importante : nous aimons les changements que nous provoquons – nouvel emploi, nouvel appartement, nouveaux amis, acquisition de nouvelles connaissances, etc. –, mais apprécions moins ceux que nous subissons.

Il vous faudra peut-être changer de perspective et de stratégie si les gens que vous dirigez résistent au changement. Si vous voulez que les autres embrassent vos initiatives, il faut que vous puissiez voir ce que cela implique pour eux. Mettez-vous à leur place : que signifie ce changement à leurs yeux ? En quoi leur sera-t-il bénéfique ? Qu'ont-ils à en craindre ?

Identifiez les craintes, les réserves et les préoccupations de vos employés et de vos collaborateurs, puis impliquez-les dans le processus de changement. Demandez-leur de vous aider à mettre en place les changements désirés. Plus vos gens se sentiront maîtres du processus, plus ils seront aptes à accepter les changements que vous préconisez.

Quand vous initiez un changement, faites comprendre aux autres que ce changement leur sera bénéfique. Faites en sorte qu'ils répondent positivement à la question : « Pourquoi devrais-je contribuer à l'application de ce changement ? Qu'est-ce que j'ai à y gagner ? »

SEMAINE 22

LUNDI

Celui qui ne peut satisfaire personne est moins à plaindre que celui que personne ne peut satisfaire.

CALEB COLTON

Quand on est un visionnaire, il est parfois difficile d'être patient avec ceux qui ne font pas leur part pour que cette vision devienne réalité. En pareilles circonstances, on a également bien du mal à ne pas critiquer ces personnes.

Prenez une grande respiration. Calmez-vous. N'oubliez pas qu'un individu répondra mieux aux renforcements positifs qu'aux réprimandes. Vous obtiendrez de meilleurs résultats si vous récompensez les gens quand leur comportement favorise la réalisation de votre vision; reconnaissez leurs efforts quand leur performance est à la hauteur de vos attentes. Votre approbation et vos félicitations motiveront ceux qui ne donnent pas encore le rendement voulu.

Usez de renforcement positif pour gagner les gens à votre cause. Restez à l'affût des petites réussites qui vous donneront l'occasion de féliciter les autres et de reconnaître leur travail. Avec un peu d'encouragement de votre part, ces petites réussites mèneront à de grandes victoires.

Le plus grand service qu'on peut rendre aux autres est de les aider à s'aider eux-mêmes.

HORACE MANN

Vous pouvez probablement faire les tâches qui relèvent de votre domaine mieux et plus rapidement que bon nombre de vos employés et de vos collaborateurs. Lorsque confronté à un échéancier serré, vous serez tenté d'abandonner votre rôle de leader et vos responsabilités premières pour vous atteler à des tâches que d'autres devraient faire. Les gens que vous dirigez admireront sans doute le fait que vous mettiez la main à la pâte, néanmoins vous devez éviter de tomber dans ce piège, car piège il y a.

Pour progresser dans votre rôle de leader, vous devez apprendre à faire confiance aux gens à qui vous confiez des tâches importantes. Songez que vous devez aussi former ceux qui vous succéderont. Concentrez-vous sur vos priorités de leadership et laissez les autres s'acquitter de leurs responsabilités ; ils ont besoin – et méritent – que vous leur donniez la chance d'apprendre, d'évoluer. Cette façon de faire ralentira peut-être parfois les choses, mais à long terme c'est une stratégie gagnante puisqu'elle vous permet de développer les aptitudes et les compétences de votre équipe.

Quand il devient impératif que vous portiez assistance à un collaborateur, profitez de l'occasion pour lui enseigner quelque chose. Évitez d'embarrasser les membres de votre équipe en leur faisant sentir qu'ils sont moins compétents que vous.

Si vous saviez la somme de travail que cela a exigé,
vous n'appelleriez pas ça du génie.

MICHEL-ANGE

Le monde est plein de «génies» qui n'exploitent pas à fond leur potentiel. Les tests de QI et les résultats scolaires sont de bons indicateurs du potentiel brut d'un individu, mais en dépit de l'importance qu'on leur accorde ils ne garantissent pas la réussite de cet individu et ne témoignent pas de ses capacités de leadership.

Un diplôme universitaire n'est pas la chose la plus importante dont doit disposer un leader. Un bon leader doit avant tout être déterminé, passionné et apte à prendre de bonnes décisions; il doit être capable de travailler avec les autres et par leur entremise. Les gens ne se rallieront pas à votre cause parce que vous êtes intelligent, mais parce que vous êtes un visionnaire qui sait communiquer sa vision aux autres. Le plus important est d'être travaillant, persévérant et d'avoir le courage de relever les plus grands défis. L'intelligence est secondaire comparativement à cela.

Exploitez pleinement le potentiel de ceux qui travaillent pour vous – tout en donnant bien sûr à l'éducation l'importance qu'elle mérite. Vous accomplirez cela en leur confiant des postes et des tâches qui coïncident avec leurs passions et leurs talents naturels.

Nous n'avons pas à nous préoccuper de la répartition plus ou moins équitable des talents dans l'espèce humaine. Il nous appartient seulement de mettre à profit ceux qui nous sont donnés et de les porter avec ardeur jusqu'à leur plein accomplissement.

ALAN LOY McGINNIS

Vous n'avez pas à être le meilleur en tout pour être un bon leader – vous n'avez même pas à être le meilleur dans votre domaine. Vous devez par contre vous connaître vous-même et connaître vos aptitudes naturelles. Quels sont vos talents ? Les utilisez-vous au maximum ?

Développez et affinez continuellement vos talents. Rehaussez-les en vous entourant de gens qui ont des aptitudes complémentaires aux vôtres. Vous ne pouvez pas tout faire ni tout savoir, néanmoins vous arriverez à quelque chose d'approximatif en vous entourant d'une équipe aux talents et compétences multiples.

Évaluez vos talents périodiquement. Les employez-vous le plus efficacement possible ? Cultivez-vous au sein de votre équipe les aptitudes et les compétences qui manquent à votre entreprise ?

La raison répond aux questions, mais l'imagination, elle, les pose.

ALEX F. OSBORN

Cela stimule la créativité que de faire des choses qu'on n'a pas l'habitude de faire. La plupart d'entre nous passons malheureusement trop de temps au même endroit, à faire toujours les mêmes choses. Il est difficile de laisser son imagination vagabonder par-delà les murs de son bureau quand on y passe le plus clair de son temps.

Pour avoir de nouvelles idées, pour envisager de nouveaux projets et imaginer de nouveaux objectifs, on doit nécessairement sortir du cadre de notre train-train quotidien. Ce n'est pas en restant toujours perché sur la même branche que vous découvrirez de nouveaux horizons. Sortez. Allez vous promener au parc. Ressourcez-vous dans un centre de retraite. Faites un tour de manège dans un parc d'attractions. Allez nager avec les dauphins dans les Caraïbes. Participez à un défilé. Bref, faites des choses excitantes et spontanées que vous n'avez pas l'habitude de faire.

Faites aujourd'hui quelque chose qui sort de l'ordinaire. Sortez de votre environnement habituel, dérogez à votre routine et partez en quête de nouvelles expériences qui stimuleront votre créativité et votre imagination.

Accrochez-vous à vos rêves, car quand un rêve meurt, la vie devient tel un oiseau aux ailes brisées.

LANGSTON HUGHES

Bien des gens s'interposeront entre vous et vos rêves. Certains feront cela pour vous blesser ; d'autres, pour vous éviter la douleur de l'échec. Ces derniers, se disant réalistes, croient que vous serez confronté à des obstacles que vous ne pourrez pas surmonter. Ils craignent que vos rêves vous mènent à votre perte.

Une seule personne peut vous dire de baisser les bras : cette personne, c'est vous-même. Vous seul connaissez la vraie valeur de vos rêves. Vous seul savez ce dont vous êtes capable, ce que vous pouvez accomplir pour vous-même et pour les autres. L'influence néfaste de vos rivaux et de vos détracteurs n'est que l'un des nombreux obstacles que vous aurez à surmonter avant d'arriver à vos fins.

Ne laissez personne dénigrer vos rêves. Vous seul avez pouvoir de décision sur eux. Passez à l'action, et vous les verrez bientôt se réaliser.

Le temps file, dites-vous ? Ah ! Non ! Hélas, le temps reste et c'est nous qui filons.

HENRY AUSTIN DOBSON

Le temps est votre bien le plus précieux. Quand on dépense un dollar, on peut toujours en gagner un autre ; en revanche, chaque minute qui s'écoule est irremplaçable.

Faites-vous compter chaque minute de votre vie ? Investissez-vous chacune d'elle dans la poursuite d'un rêve ou d'un idéal ? Si on considère le temps comme la monnaie d'échange de l'existence, alors perdre son temps équivaut à jeter son argent par les fenêtres. Vous ne jetteriez pas votre argent par les fenêtres, n'est-ce pas ? En ce cas, ne perdez pas une seule minute de votre temps.

Maximisez votre temps en vous fixant des objectifs précis pour chacune de vos activités. Gérez votre emploi du temps de manière à pouvoir consacrer un temps suffisant aux choses qui vous tiennent le plus à cœur.

L'homme qui a trouvé l'amour n'est plus à la merci de puissances supérieures : il devient lui-même une puissance supérieure.

LEO BUSCAGLIA

On sous-estime beaucoup le pouvoir de l'amour en milieu de travail. Par-delà sa vocation romantique, l'amour donne un sens au travail et à la vie. C'est un sentiment qui nous remplit d'assurance et nous incite à progresser. L'amour nous aide à traverser nos pires moments d'incertitude. Il peut aussi amener des groupes d'individus très différents à embrasser une cause commune.

Aimez votre travail et les défis qu'il vous lance. Aimez votre mission, votre vocation. Chérissez votre vie, de même que les gens qui en font partie. Soyez une source d'encouragement et de soutien inconditionnel pour les autres. Laissez-vous porter par votre passion et par vos convictions. Puisez en elles votre énergie. Vous enrichirez ainsi votre vie, ainsi que celles des gens qui vous entourent.

Par vos paroles et vos actions, signifiez aux autres que vous voulez que se tissent au sein de votre entreprise des liens émotionnels solides entre les individus, mais aussi entre les individus et leur travail.

Sages sont ceux qui ne font pas des bénéfices nets leur priorité absolue.

WILLIAM WARD

Comme bien des gens, vous consacrez probablement la majeure partie de votre vie et de vos énergies au travail. Même quand vous n'êtes pas physiquement au bureau, vous y êtes sans doute mentalement – c'est d'ailleurs une des raisons pour lesquelles vous avez réussi.

D'autres aspects de votre vie nécessitent toutefois votre attention. Vous avez besoin de marquer des pauses pour faire le point et le plein d'énergie. À quand remonte la dernière fois où vous avez fait, en dehors du travail, une activité qui vous a procuré de la joie?

Passez du temps en famille. Jouez au base-ball avec votre enfant. Allez au cinéma. Prenez des leçons de dessin, de peinture, de sculpture. Planifiez une réunion avec de vieux amis. Vous n'aurez sans doute jamais l'impression que c'est le bon moment de mettre de côté un projet important, néanmoins vous devez vous donner d'autres priorités que le travail dans la vie. Or, ces priorités ont elles aussi leur échéancier. Le temps que vous consacrez à votre famille, à vous-même et aux autres aspects de votre vie rapportera d'importants dividendes.

Aujourd'hui, faites quelque chose pour profiter de l'instant présent. N'importe quelle activité fera l'affaire, du moment qu'elle injecte un peu de beauté, de joie et d'amour dans votre vie.

Le manque d'ambition, et non l'échec, est un crime.

James Russell Lowell

Il y a dans la vie des moments où il faut s'asseoir et relaxer. Cela dit, le repos n'est pas une bonne stratégie à long terme pour qui veut vivre pleinement et donner un sens à son existence. Visez aussi haut que vous le pouvez dans votre carrière. Lorsque vous aurez atteint tous vos objectifs, lorsque le succès et la fortune vous souriront, donnez-vous pour ambition d'aider les gens et la société de d'autres façons.

Observez bien ce qui se passe autour de vous. Il reste beaucoup à faire, vous ne trouvez pas ? Seriez-vous vraiment satisfait de prendre votre retraite et de passer le reste de votre vie à jouer au golf et à gérer votre portefeuille ? Sentiriez-vous alors que votre vie a un sens ? Sinon, que pourriez-vous faire pour contribuer à bâtir un monde meilleur ? N'acceptez pas le monde tel qu'il est. Vous avez des talents et des aptitudes qui vous sont propres, alors utilisez-les ! Quand une de vos entreprises sera couronnée de succès, orientez votre passion et votre énergie vers d'autres objectifs. La vie n'est jamais plus gratifiante que lorsqu'on vise haut.

Lorsque vous aurez du succès dans votre domaine de prédilection, trouvez d'autres activités dans lesquelles investir vos talents et votre passion. N'oubliez pas que votre but est d'enrichir votre vie, de même que celle des autres.

Un professionnel est quelqu'un qui travaille à son meilleur quand il n'a pas envie de travailler.

FRANK LLOYD WRIGHT

Il y a des matins où on se réveille en se demandant si tout le travail que l'on fait en vaut vraiment la peine. Parfois, la réponse est « non ». Un vrai leader se lève, s'habille et honore ses obligations même quand il n'en a pas envie.

Trop de gens comptent sur vous pour que vous abandonniez. Vous devez continuer d'avancer sur la voie que vous vous êtes tracée même quand vous vous sentez stressé, fatigué, démotivé. Quand le présent vous pèse, tournez-vous vers l'avenir. Rappelez-vous pourquoi vous faites tous ces efforts. Si votre vision s'est embrouillée, précisez-la ; peignez-en une image aussi claire que possible dans votre esprit. Ravivez vos énergies et votre enthousiasme en pensant au bon temps passé et à venir. Songez que c'est souvent quand on se sent à son plus bas qu'on commence à reprendre le dessus. Vous avez traversé avec succès des périodes difficiles par le passé ; vous traverserez également celles que l'avenir vous réserve.

Amorcez la journée avec une pensée positive. Identifiez une chose à venir que vous attendez depuis longtemps, une chose dont vous vous réjouissez d'avance. Pensez à cette chose jusqu'à ce que vous vous sentiez plein d'énergie positive.

La vie se rétracte ou se dilate à proportion de notre courage.

ANAÏS NIN

Bien qu'on ait tendance à associer le mot «courage» à la guerre, la bravoure est une qualité aussi nécessaire à un leader d'entreprise qu'à un soldat au combat. Chaque décision que vous prenez, chaque tactique que vous mettez en œuvre pour surclasser vos compétiteurs est lourde de conséquences.

Considérant que la société en général et le monde des affaires en particulier sont de nature essentiellement compétitive, vous aurez de nombreuses occasions de vous montrer courageux... ou prudent. Les personnes que vous dirigez basent leurs actions en partie sur la perception qu'ils ont de vous, ce qui veut dire que vous pouvez faire de votre courage un exemple à suivre. Votre détermination motivera votre équipe à rester unie dans les moments difficiles.

Accrochez-vous à vos idéaux avec courage et opiniâtreté.

L'énergie spirituelle injecte de la compassion dans le monde.
La compassion nous permet de contempler avec bienveillance notre condition ainsi que celle de nos semblables.
La compassion nous déleste de nos préjugés et nous rend moins prompts à juger les autres.

CHRISTINA BALDWIN

Bien qu'il soit difficile de ne pas penser à la quantité effarante de souffrance qu'il y a dans le monde, il y a des jours où on préfère faire abstraction de tout ça, des jours où tout ce que l'on veut, c'est se concentrer sur soi-même, sur son travail, pour préserver cette vie que l'on a bâtie. Ce repli est compréhensible, du moment que vous ne perdez pas votre humanité, votre spiritualité et votre capacité de ressentir de la compassion pour vos semblables. Pensez à ce que vous pouvez faire pour bâtir un monde meilleur, un monde plus pacifique, aimant, sécuritaire. Nous sommes tous liés les uns aux autres, les privilégiés tout autant que les miséreux. Trouvez des moyens d'aider ceux qui sont dans le besoin. Par votre engagement, vous pouvez changer les choses.

Voyez ce que vous pouvez faire pour impliquer votre entreprise dans de bonnes causes – vous pourriez, par exemple, acheter de la pub sur le site thehungersite.com, *dont les revenus servent à envoyer de la nourriture aux nations les plus pauvres.*

La vague du futur arrive, et rien ne pourra l'arrêter.

ANNE MORROW LINDBERGH

Certains individus consacrent une quantité incroyable d'énergie à résister au changement : ils luttent contre toute amélioration du processus opérationnel ; ils luttent contre la nécessité d'acquérir de nouvelles compétences en vue de prévenir l'obsolescence au sein d'un marché sans cesse changeant. Ils luttent de toutes leurs forces, mais au bout du compte, par leur résistance, ils ne font que sacrifier ce gagne-pain qu'ils veulent sauver.

Le changement est un facteur primordial en affaires. En tant que leader, vous devez persuader les gens que vous dirigez que leur sécurité d'emploi dépend de leur capacité à accepter le changement. Cela ne veut pas dire que vous devez leur demander de changer uniquement pour la forme ; ou aveuglément, sans poser de questions. Faites-leur comprendre que ceux qui voient le changement arriver et qui trouvent des moyens de s'y adapter ont un net avantage sur leurs compétiteurs, surtout dans un marché comme le nôtre, qui est en constante évolution. Faites-leur aussi comprendre qu'ils ne peuvent pas arrêter le changement. Persuadez-les de l'accepter ou, mieux encore, de le voir comme une source d'opportunités nouvelles.

Aidez les gens à comprendre les conséquences de leur résistance au changement. Faites-leur comprendre que c'est le changement qui permet à une entreprise de s'adapter aux nouvelles exigences du marché. Trouvez les mots qu'il faut pour apaiser les craintes et les incertitudes de vos collaborateurs face au changement.

Viser l'excellence est motivant ; viser la perfection est démoralisant.

HARRIET BRAIKER

Les grands leaders visent l'excellence et savent qu'il est futile de viser la perfection. Mais surtout, ils savent que s'ils confondent l'une avec l'autre, ils n'atteindront ni l'une ni l'autre.

L'individu qui vise la perfection est rarement satisfait et a du mal à déterminer quand un travail est terminé. La perfection n'est pas de ce monde. Si vous insistez pour que tout soit parfait, vous serez frustré et déçu de tout ce que vous produirez. Au lieu d'essayer d'être parfait, soyez excellent. Soyez meilleur que vos compétiteurs. Améliorez-vous constamment. Mais restez humain, c'est-à-dire : continuez d'accepter les limites fixées par le temps, l'argent et les compétences. Faites de votre mieux avec les ressources dont vous disposez.

Taillez-vous une réputation d'excellence. Visez haut et célébrez l'accomplissement de ces hautes attentes même si le résultat obtenu est un peu en deçà de la perfection.

Le passé nous apparaît toujours mieux que ce qu'il a été, mais au fond il n'est plaisant que parce qu'il n'est plus là.

FINLEY PETER DUNNE

Le passage du temps et l'appréhension de changements imminents rendent les gens indulgents face au passé. Un leader d'entreprise doit constamment composer avec ce désir qu'ont les gens de retourner à une ancienne façon de faire. Les individus qui ne veulent pas ou ne sont pas prêts à changer ont tendance à croire que les choses vont «revenir à la normale» après une période d'instabilité. Vous devez faire comprendre à ces gens qu'ils ne peuvent pas revenir en arrière. En ces temps versatiles, l'instabilité est la norme. Le présent sera bientôt chose du passé.

Communiquez votre vision aux autres de façon à leur faire oublier le chaos et la confusion ambiante. Construisez le présent sur les assises du passé, mais tout en restant ouvert aux nouvelles idées et pratiques, car ce sont ces choses qui vont propulser votre entreprise vers le futur. N'hésitez pas à vous délester du bagage inutile qui vous empêche d'avancer.

Aidez les gens à voir que le changement n'est ni bien ni mal : il est, un point c'est tout. Brossez de l'avenir un portrait si excitant et stimulant que les gens en oublieront leurs craintes et leurs inquiétudes.

Aide ton frère à traverser la rivière et avant même que tu ne le saches, tu auras atteint l'autre rive.

PROVERBE INDIEN

Aider les autres à réussir est l'une des façons les plus sûres de réussir soi-même. Des tas de gens ont besoin de votre appui pour grandir. Qu'avez-vous fait récemment pour aider ceux pour qui et avec qui vous travaillez à réaliser leurs aspirations ? Qu'avez-vous fait en ce sens pour vos parents et vos amis ?

Vous avez la capacité d'influencer profondément la vie des gens qui vous entourent. Intéressez-vous à leurs rêves, à ce qu'ils veulent accomplir. Questionnez-les à ce sujet et n'hésitez pas à les encourager.

Chaque chose que vous faites pour aider l'un de vos semblables vous rapproche de vos propres rêves.

Écoutez patiemment et attentivement vos amis, vos collègues et les membres de votre famille quand ils vous parlent de leurs aspirations. En leur accordant ne serait-ce qu'un peu de votre temps et de votre attention, vous les encouragerez énormément à pourchasser leurs rêves. C'est votre propre réussite que vous favorisez en les aidant de la sorte.

Armés d'une témérité qui frôle l'imprudence, les idéalistes ont enrichi et fait avancer l'humanité.

EMMA GOLDMAN

Il est facile d'être idéaliste quand on est jeune, mais beaucoup plus difficile de le rester au fur et à mesure que l'on vieillit. Au fil des années, on se rend compte que le monde est imparfait. Dans notre jeunesse, on croyait pouvoir venir à bout de ces imperfections, mais, trop souvent, on devient cynique et désabusé avec l'âge. Ce cynisme peut être réconfortant en ce sens qu'il nous dit qu'on ne peut rien faire pour changer les choses. Le problème, c'est qu'en se déresponsabilisant de la sorte on risque de sombrer dans le doute et le pessimisme.

Le monde ne sera jamais parfait, néanmoins vous devez continuer de croire que vos actions peuvent avoir un impact positif. Votre idéalisme et votre optimisme inspirent les gens qui vous entourent. En montrant aux autres qu'il ne faut jamais perdre espoir, vous les encouragez à continuer d'utiliser productivement leur expérience, leurs talents et leurs compétences.

Quand vous vous trouvez en mauvaise posture, essayez d'identifier une chose que vous pouvez changer pour améliorer la situation, ne serait-ce qu'un peu.

Il me paraît inconcevable que dans une société
de communication hyper sophistiquée telle que la nôtre,
nous manquions de personnes qui puissent nous écouter.

ERMA BOMBECK

Alors que des progrès ahurissants ont été réalisés dans les technologies de la communication, de plus en plus de gens se plaignent du manque de communication. Quelle ironie! Nous pouvons aujourd'hui transmettre et recevoir de l'information plus rapidement que jamais, par contre, nous discutons de moins en moins du sens de cette information.

La véritable communication passe par un dialogue franc, ouvert et actif où chacun écoute l'autre attentivement et accepte le débat. Quand on communique, on échange des regards, on emploie des inflexions vocales, des expressions faciales et des gestes qui nous permettent de dire ce que les mots seuls ne peuvent exprimer. De ce point de vue, on peut dire que les technologies de la communication ne mènent pas nécessairement à une communication.

Quelle que soit la forme de communication que vous utilisez, exigez confirmation que votre message a été compris et encouragez les autres à adopter cette pratique. Ce que vous dites et ce que les autres entendent sont deux choses parfois bien différentes.

Les idées ne se conservent pas. Il faut les utiliser avant qu'elles ne dépérissent.

ALFRED NORTH WHITEHEAD

Plus une organisation devient orientée vers le travail d'équipe, plus les gens qui travaillent pour cette organisation doivent passer de temps en réunion. Cet état de choses devient problématique quand les gens passent plus de temps à discuter des objectifs de l'entreprise qu'ils n'en passent à les concrétiser.

Rien ne sape davantage l'énergie d'une équipe que l'inaction des autres face aux idées qu'elle génère. C'est une perte de temps et d'argent que de soumettre des gens talentueux à des séances de *brainstorming* sans appliquer ensuite un quelconque plan d'action.

Faites bien comprendre aux membres de votre équipe que vous ne tolérez pas les réunions improductives. Enseignez-leur des techniques qui rendront leurs réunions plus profitables, puis félicitez-les une fois qu'ils auront fait des progrès en ce sens.

SEMAINE 26

LUNDI

Si vous ne vous attendez pas à gagner, alors vous avez déjà perdu.

RICKY HUNLEY

La confiance en soi est un facteur-clé du succès. Si vous envisagez déjà l'échec comme une éventualité, vos compétiteurs sentiront votre manque d'assurance et l'exploiteront à leur avantage. Quand aux gens que vous dirigez, comment pourraient-ils se dévouer corps et âme à votre cause si vous n'êtes pas convaincu de son succès ?

Ayez foi en votre vision. Fermez les yeux et visualisez votre réussite. Soyez convaincu que, où que vous alliez et quoi que vous fassiez, vous trouverez le moyen d'accomplir ce à quoi vous aspirez. Ayez confiance en vos capacités et en celles de votre équipe, car cette confiance est la manifestation spirituelle qui vous mènera sur la voie de la réussite.

Soyez conscient du fait que, dans la vie comme en affaires, il n'y a pas de garanties, mais ne craignez pas l'échec ou le succès, sinon votre subconscient pourrait vous empêcher de passer à l'action.

On ne devrait pas chercher un sens abstrait à la vie. Chacun a dans sa vie une vocation ou une mission concrète qui se doit d'être accomplie.

VICTOR FRANKL

Pour bien des gens, le sens de l'existence se résume à aimer, réussir et être heureux. Ce sont là de nobles, mais vagues aspirations. Vous ne pourrez réussir vraiment que si vous avez en tête une définition claire de ce que la réussite signifie pour vous. Avant de pouvoir connaître le bonheur, vous devez savoir précisément ce qui vous rend heureux. De même, vous ne pourrez vraiment ressentir de l'amour que si vous savez ce que c'est que d'exprimer ce sentiment en mots ou en gestes.

Chacun a sa vocation. Lorsque vous découvrirez la vôtre, consacrez-vous à elle. Ne rejetez pas vos aspirations ou votre définition du succès sous prétexte qu'elle ne correspond pas à celle des autres. Ce n'est qu'en faisant les choses qui vous touchent ou vous inspirent le plus que vous pourrez avoir un jour l'impression d'avoir vraiment réussi.

Soyez attentif à ces instants durant lesquels vous perdez la notion du temps ou ressentez une joie intense. Notez bien ce que vous êtes en train de faire dans ces moments-là : ces activités, qui sont sans doute liées à votre vocation profonde, sont susceptibles de vous mener à la réussite.

Donnez-nous la lucidité de savoir quelles idées nous devons défendre et en quoi nous devons croire, car sans ces assises nous nous écroulerions.

PETER MARSHALL

Vous êtes visionnaire en ce sens que vous avez une vision de l'avenir qui n'appartient qu'à vous seul. Mais pour que cette vision se réalise, vous devez être capable de la rendre aussi palpable dans l'esprit des autres qu'elle ne l'est dans le vôtre. Décrivez votre vision avec clarté et précision. Donnez-lui de la profondeur; rendez-la aussi excitante et attrayante que possible lorsque vous la communiquez aux autres. Car le mot d'ordre est, ici, «communiquer»: si vous ne partagez pas votre vision avec les gens que vous dirigez, ceux-ci se tourneront tôt ou tard vers un autre visionnaire qui saura injecter un peu d'espoir et d'enthousiasme dans leur vie.

Quand vous communiquez votre vision aux autres, faites-leur bien comprendre ce qu'ils ont à gagner en vous aidant à atteindre vos objectifs. Leur engagement envers vous commencera le jour où ils pourront répondre à la question: «Qu'est-ce que ça va m'apporter, à moi?»

Il faut prendre de grands risques pour accomplir de grandes choses.

HÉRODOTE

Le leadership est une aventure qui nous amène souvent en territoire inconnu. C'est un périple où risques et écueils abondent, mais qui regorge aussi de trésors insoupçonnés. Armé d'une bonne dose de courage et de la certitude qu'il est plus excitant de plonger dans l'inconnu que de se morfondre dans le confort d'un sécurisant statu quo, vous mènerez ceux que vous dirigez vers des contrées inexplorées et remplies de promesses.

Toutes les grandes découvertes ont été faites par des individus qui ont eu le courage d'être les premiers à explorer de nouveaux territoires, même si cela les obligeait à plonger dans l'incertitude. En tant que leader, vous devez faire de même. Votre enthousiasme et votre sens de l'aventure encourageront les autres à prendre les risques nécessaires pour naviguer avec vous vers de nouvelles réussites.

Montrez à votre équipe que vous n'avez pas peur de vous attaquer à des tâches qui sont à l'extérieur de votre zone de confort. Lorsque vous entraînez vos gens en territoire inconnu, rassurez-les et guidez-les en leur faisant part de vos plans et de vos objectifs.

Il faut préférer un dommage à un gain malhonnête,
car le premier ne cause qu'un chagrin, alors que le second
en apporte une infinité.

CHILON DE SPARTE

Il est parfois tentant de mentir pour arriver à ses fins. Sachez cependant que toute malhonnêteté, même bénigne, vous coûtera votre intégrité.

Il est très difficile de recouvrer son intégrité une fois qu'on l'a perdue. Les gens que l'on a dupés finissent toujours par découvrir le pot aux roses. Les succès acquis dans le mensonge sont bien souvent de courte durée, mais les gens qui ont été victimes de fourberie en gardent longtemps le souvenir. En général, les leaders qui agissent avec duplicité ou qui tolèrent celle-ci au sein de leur équipe deviennent eux-mêmes victimes, tôt ou tard, de la duplicité des autres.

Refusez les promesses de gains rapides qui risquent de porter atteinte à votre réputation de *businessman* honnête et digne de confiance. Veillez à ce que votre entreprise et les gens qui y travaillent respectent scrupuleusement les questions d'éthique. Votre vigilance en ce sens encouragera les autres à agir avec droiture, honnêteté et intégrité.

Communiquez toujours franchement et honnêtement avec votre équipe. Il est normal que vous gardiez pour vous certains renseignements, mais quand vous décidez de discuter d'une chose avec vos gens, soyez direct ; ne mettez pas de gants blancs et n'omettez aucun détail. Si vous procédez autrement, on pourrait par la suite vous accuser de malhonnêteté.

Un individu ou une entreprise cesse de progresser dès qu'il ou elle croit avoir atteint un niveau de succès appréciable.

THOMAS J. WATSON

La réussite n'est pas une destination, mais un processus, un périple continu.

Ceux qui conçoivent le succès comme une certaine somme d'argent ou un accomplissement spécifique finissent toujours par être déçus. Rester tranquillement assis sur ses lauriers parce qu'on pense avoir réussi mène invariablement à la complaisance et à l'inaction. Le leader qui en est rendu là doit s'attendre à ce que ses compétiteurs lui coupent l'herbe sous le pied à la première occasion. Le succès est un processus actif qui se définit non pas par ce que vous avez fait hier, mais par ce que vous faites aujourd'hui pour atteindre vos objectifs.

Soyez satisfait des objectifs que vous avez atteints,
mais remplacez-les continuellement par de nouveaux objectifs.

Dans ma vision de l'histoire, les êtres humains sont libres de choisir. Notre destin n'est pas prédéterminé : c'est nous qui décidons de lui.

ARNOLD TOYNBEE

Rien ne vous empêche d'être ou de faire ce que vous voulez. N'abandonnez pas vos rêves sous prétexte que vous éprouvez des difficultés financières ou autres. Ce ne sont pas là des excuses valables. Des tas de gens ont réussi brillamment dans des circonstances incroyablement difficiles ; certains d'entre eux étaient pauvres et sans éducation.

La persévérance et l'ambition sont les moteurs de la réussite. Ils vous mèneront là où vous voulez aller, quelle que soit votre présente situation. Ne blâmez jamais rien ni personne pour les décisions que vous prenez et qui limitent vos aspirations.

Déterminez, si ce n'est déjà fait, ce que vous voulez faire dans la vie et ce que vous voulez accomplir. Accrochez-vous à cette vision avec ténacité. Évoquez-la chaque fois que vous devez prendre une décision importante, en vous demandant : « Comment dois-je procéder pour continuer d'avancer dans la bonne direction ? »

Éveille-toi, mon cœur, et chante!

PAUL GERHARDT

Avez-vous ressenti de la joie récemment? Comme bien des leaders dévoués, vous avez peut-être tendance à remettre la joie à plus tard parce que vous croyez que vous devez attendre de contrôler pleinement votre vie professionnelle avant d'avoir du plaisir. Les affaires passent avant tout, n'est-ce pas?

Cette façon de voir les choses est pour le moins restrictive. Premièrement, vous ne savez pas ce que la vie va vous apporter de bon ou de mauvais; vous ne devez donc pas suspendre ainsi un aspect aussi important de l'existence par souci de contrôler votre destin. Deuxièmement, la joie et le plaisir stimulent la créativité, or, vous avez besoin de cette énergie pour être un leader efficace.

Prenez plaisir à faire les choses, tant au travail que dans les activités du quotidien. Entourez-vous de gens plaisants qui savent s'amuser. Éveillez de nouveau votre sens de la joie et de l'émerveillement.

Faites aujourd'hui une chose plaisante ou amusante que vous n'avez pas l'habitude de faire: chantez à tue-tête dans votre voiture en écoutant la radio; tournez votre visage vers le soleil et savourez la chaleur de ses rayons; allez au zoo avec vos enfants; etc.

Les gens ont tendance à sous-estimer ce qu'ils sont et à surestimer ce qu'ils ne sont pas.

MALCOLM FORBES

Nous avons tous des talents uniques, malheureusement nous apprécions bien souvent davantage ces talents chez les autres qu'en nous-mêmes. Quand un pianiste virtuose, un athlète de haut niveau ou un conférencier éloquent nous inspire, nous nous prenons à espérer que ses talents soient nôtres. Pourtant, si nous parlions à ce pianiste, à cet athlète ou à ce conférencier, il nous dirait probablement qu'il voudrait être encore meilleur qu'il ne l'est.

Nous reconnaissons le talent des autres plus facilement que notre propre talent. C'est dommage, car on n'arrive à rien de bon en se concentrant sur les aptitudes que les autres ont, mais qui nous manquent à nous. Pour grandir et progresser, il faut se concentrer sur ses propres talents, mettre l'accent sur ses forces et non sur ses faiblesses. Admirez les talents et les aptitudes des autres, mais tout en reconnaissant que vous avez vous aussi la capacité d'impressionner les gens par ce que vous êtes et ce que vous faites. Ayez confiance en vous-même. L'assurance est une qualité contagieuse et inspirante.

Si vous ne savez pas vraiment quels sont vos points forts, sollicitez l'avis de d'autres personnes – vos pairs, vos supérieurs, vos subalternes, etc. – à ce sujet. Vous pouvez faire ce petit sondage de façon informelle ou plus officiellement, via un processus d'évaluation professionnelle. Vous constaterez sans doute avec étonnement que vous sous-estimez ces mêmes qualités que les autres apprécient le plus en vous.

C'est un chemin tortueux que celui qui mène au sommet de la gloire.

SÉNÈQUE

Il y a des jours où on a l'impression qu'on ne se rendra jamais là où on veut aller. Notre route est jalonnée d'obstacles. Des forces invisibles semblent nous tirer vers l'arrière. Des gens s'interposent pour nous mettre des bâtons dans les roues. Le climat économique ou politique, les nouvelles technologies nous forcent à réajuster notre tir, voire à carrément changer de cap.

Tout cela peut être très décourageant. Mêmes les leaders les plus déterminés ont parfois envie de tout laisser tomber.

Concentrez-vous sur vos objectifs lorsque vous êtes confronté à un obstacle. Vous ne pouvez pas prévoir tous vos problèmes futurs, mais vous pouvez choisir d'accepter leur inévitabilité avec humour et indulgence. Continuez d'avancer, confiant que vous survivrez à toutes les intempéries. Votre détermination vous aidera à triompher des obstacles qui vous attendent, voire même à les éviter.

Au lieu de gaspiller votre énergie à vous insurger contre les obstacles qui se dressent sur votre route, employez-vous à les surmonter.

Plus ça change, plus c'est la même chose.

PROVERBE FRANÇAIS

Le changement est une chose implacable, inévitable et omniprésente. Nul ne peut prédire l'avenir. Tout ce dont on peut être sûr, c'est qu'indépendamment des changements qui surviennent dans le monde, les besoins de base de l'être humain resteront toujours les mêmes.

Vous ne pouvez pas promettre aux gens que vous dirigez qu'ils auront toujours un emploi chez vous, par contre, vous pouvez leur fournir des outils et des opportunités qui leur permettront d'acquérir de nouvelles compétences. Faites en sorte que votre vision donne aux autres l'occasion de se valoriser en participant à l'élaboration d'un monde meilleur. Créez un environnement dont les principales valeurs sont l'amour et l'humanité.

Soyez conscient des changements ou des fluctuations qui influent sur la vie des gens que vous dirigez. Aidez-les à percevoir le changement comme une opportunité et non comme une chose à craindre.

Un investissement dans la connaissance paie toujours les meilleurs intérêts.

Benjamin Franklin

Fournissez-vous aux gens que vous dirigez toutes les opportunités d'apprentissage et de développement qu'ils méritent et dont ils ont besoin pour mener à bien votre mission ? L'éducation et la formation sont des choses coûteuses, aussi le leader d'entreprise est-il parfois tenté de couper de ce côté-là par souci d'économie.

Le fait est que vous ne pouvez pas vous permettre de radiner sur le développement des compétences de vos effectifs. Dans un monde où vos compétiteurs changent constamment les règles du jeu, vous avez besoin de gens qui ont les compétences nécessaires pour vous aider à maintenir, voire à augmenter votre part du marché. Vous craignez peut-être que vos employés décrochent un meilleur poste ailleurs et vous quittent si vous les aidez à acquérir de nouvelles compétences. Bon, ce sont des choses qui arrivent, toutefois les gens préfèrent généralement demeurer au sein d'une entreprise qui se préoccupe de la croissance et de la viabilité à long terme de ses employés. Un individu sera plus enclin à quitter une entreprise qui ne veille pas à son développement professionnel.

Mettez sur pied des initiatives d'apprentissage peu coûteuses – programmes de mentorat, ateliers durant les pauses-repas, etc. – qui viendront compléter la formation professionnelle que vous offrez à vos employés. Faites de l'éducation l'une des principales priorités de votre organisation.

Le fer se rouille faute de s'en servir, l'eau stagnante perd de sa pureté et se glace par le froid ; de même, l'inaction sape la vigueur de l'esprit.

LÉONARD DE VINCI

Le corps humain fonctionne plus efficacement quand il est actif : le système circulatoire s'active avec le mouvement des muscles ; le cœur a besoin de périodes d'activité physique prolongées pour rester en santé. Quand les muscles ne travaillent pas, ils s'atrophient, ce qui entraîne douleurs, courbatures et manque d'énergie.

Bien des avantages de la vie moderne – la télévision, l'ordinateur, le téléphone, Internet – s'allient pour rendre notre vie plus sédentaire. C'est pourquoi il est si important de prendre le temps de faire de l'exercice physique. Pour donner votre plein rendement, vous devez être au meilleur de votre forme, tant physiquement que mentalement. Par-delà la sensation de bien-être qu'il procure, l'exercice physique augmente le flot d'oxygène au cerveau, accroissant par le fait même vos capacités mentales. Tout cela fait que vous avez intérêt à vous maintenir en bonne forme physique.

Ménagez des périodes réservées à l'exercice physique dans votre emploi du temps – et respectez ensuite votre engagement. Afin de limiter le temps que vous passez assis à votre bureau, levez-vous périodiquement, étirez-vous. Quand vous prenez une pause, allez marcher dans le couloir au lieu de rester assis à parler au téléphone.

Il est illusoire de penser que c'est en écrasant les autres que l'on avance.

CICÉRON

Il y a beaucoup de talent et d'énergie gaspillés à cause de la compétition qui se livre au sein même d'une organisation. Votre capacité à tourner les querelles intestines en collaborations fructueuses est un facteur déterminant pour le succès de votre entreprise.

Vous avez besoin de la coopération de plusieurs personnes pour voir vos projets se concrétiser. Au lieu d'écraser ceux qui vous font obstacle, recrutez-les, car ils peuvent vous aider. Au lieu de couper les ponts, établissez des liens avec le plus de gens possible. Ensemble, vous bâtirez la route qui vous mènera tous vers la réussite.

Utilisez à votre avantage la réticence ou l'antagonisme que l'on exprime face à vos projets. Au lieu d'essayer de dominer ceux qui s'opposent à vos idées, cherchez la cause première de leur désaccord. Vous devez connaître les attentes et les besoins de vos détracteurs avant de pouvoir gagner ceux-ci à votre cause.

Antithèse de la décision, la procrastination est un ennemi courant que pratiquement chaque homme doit conquérir.

NAPOLEON HILL

La procrastination, cette tendance à remettre à plus tard ce qu'on pourrait faire tout de suite, est souvent causée par la peur que l'on a de se tromper. Qui ne prend pas de décision ne peut pas commettre d'erreurs, n'est-ce pas?

Avec toute la technologie dont on dispose aujourd'hui, on peut aisément accumuler une montagne de données pour chaque décision que l'on doit prendre. Ce foisonnement devient problématique quand on utilise la cueillette d'information comme faux-fuyant, quand on prolonge indéfiniment le processus parce qu'on a peur de prendre la mauvaise décision.

Vous ne détiendrez jamais toute l'information disponible sur un sujet donné. De toute manière, arrive un moment où renseignements et données se font contradictoires. Ne tombez pas dans le piège de la surdocumentation. Acceptez le fait que vous ne prendrez pas toujours la bonne décision. La seule véritable erreur, c'est de ne rien décider.

Donnez-vous une échéance pour chaque décision que vous devez prendre. Fixez-vous des plans d'action précis qui font état de vos exigences en matière de données. Et surtout, apprenez de vos erreurs!

C'est quand nous utilisons la pleine mesure de nos talents naturels que nous connaissons le plus de succès et que nous sommes le plus heureux.

SMILEY BLANTON

Soyez attentif aux raisons qui motivent vos actions. Même si vous réussissez bien, vous ne serez jamais heureux dans un domaine que vous avez choisi uniquement pour l'argent, pour la gloire ou pour faire plaisir à quelqu'un.

Dans la vie, on aime surtout faire les choses que l'on fait bien. Et quand on fait ce qu'on aime, le travail cesse d'être une corvée. On prend alors plaisir à s'acquitter des tâches qui nous permettront d'atteindre nos objectifs. Si vous concentrez vos efforts dans les domaines où vous avez le plus de talent, l'argent et les autres manifestations de la réussite suivront tôt ou tard.

Grâce à vos nombreux talents, vous réaliserez vos rêves et aiderez les autres à réaliser les leurs. Mais pour cela, vous devez exploiter ces talents à leur pleine mesure. Vous apprécierez davantage la vie quand ce que vous faites coïncidera avec ce que vous êtes.

Trouvez de nouvelles occasions de mettre vos talents en pratique. Déléguez à d'autres les tâches qui vous déplaisent afin de pouvoir exceller dans celles que vous faites le mieux.

Certaines valeurs sont comme le sucre sur un beigne : elles sont légitimes, souhaitables, mais insuffisantes en elles-mêmes. Nous avons besoin du glaçage, mais aussi de la substance.

RALPH T. FLEWELLING

Vos valeurs guident vos décisions. Elles vous aident à décider quel genre de travail vous voulez faire, mais aussi dans quelles conditions et avec qui vous voulez travailler. Mais pour que nos valeurs aient un sens, il faut les vivre chaque jour, sans défaillir.

Discutez régulièrement de vos valeurs avec votre entourage. Trouvez des façons de mettre ces valeurs en pratique dans votre vie professionnelle, puis agissez en conséquence. Si vous dérogez de votre ligne de conduite, vos collaborateurs s'en rendront compte et il y a fort à parier qu'ils ne vous respecteront plus autant qu'auparavant.

Si vous êtes incapable de décrire vos valeurs fondamentales en termes tangibles, réévaluez-les, puis trouvez une façon de les exprimer clairement.

Ne dites jamais aux gens comment faire les choses. Dites-leur simplement ce que vous voulez obtenir et ils vous étonneront par leur ingéniosité.

GEORGE S. PATTON

Si vous additionnez les expériences individuelles de tous les gens que vous dirigez, vous obtenez un résultat qui dépasse de beaucoup votre propre expérience. Les gens qui travaillent aux premières lignes de votre entreprise s'acquittent de tâches que nul autre ne pourrait remplir aussi efficacement.

Votre rôle de leader est bien différent. Vous devez avoir une vue d'ensemble de l'entreprise. Vous fixez les buts et objectifs à atteindre. Vous visez une amélioration continue. Vous fournissez à vos gens les ressources dont ils ont besoin pour faire du bon boulot. Faites votre travail... et laissez-les faire le leur de la manière dont ils l'entendent sans les interrompre par d'inutiles ingérences. Vous constaterez alors que les choses se font bien et qu'elles se font dans les délais prévus.

Transmettez toujours votre vision et vos objectifs clairement et dans leurs moindres détails. Communiquez ce message aux gens que vous dirigez au moins trois fois et de trois façons différentes, en vous assurant qu'il a bien été compris.

Les erreurs font partie de la vie. C'est la façon dont on réagit à l'erreur qui compte.

NIKKI GIOVANNI

Comment réagissez-vous quand vous commettez une erreur? Certaines personnes ont tendance à dissimuler leurs erreurs pour éviter d'exposer leurs faiblesses aux autres. D'autres ont le réflexe de blâmer, d'imputer leur faute à un échéancier trop serré.

Il est beaucoup plus productif d'apprendre de ses erreurs que de les camoufler. Une fois l'erreur commise, le mal est fait et on ne peut pas revenir en arrière, par contre, on peut étudier ses causes pour éviter qu'elle ne se reproduise. Vous pourriez par exemple identifier les choses que vous auriez pu faire différemment.

En assumant vos erreurs, vous contribuez à leur prévention future. Qui plus est, vos collègues de travail vous reconnaîtront dès lors comme un individu qui n'a pas peur d'endosser ses responsabilités, ce qui, aux yeux de bien des gens, est préférable à une personne qui essaie toujours de montrer qu'elle a raison.

Durant les réunions, invitez vos collaborateurs à discuter ouvertement de leurs erreurs. Faites-leur bien comprendre que votre intention n'est pas de blâmer qui que ce soit, mais de faire en sorte que chacun tire de ces erreurs les leçons qui s'imposent.

Il n'est rien en ce monde qui soit aussi monstrueusement vaste que notre indifférence.

JOACHIM MARIA MACHADO DE ASSIS

Il y a trop d'injustices dans le monde pour qu'on puisse les ignorer toutes. Il est vrai qu'un individu ne peut résoudre à lui seul tous les problèmes de la Terre. On se dit souvent qu'on aiderait volontiers les autres si on avait plus de temps et d'argent, malheureusement on ne semble jamais avoir suffisamment de l'un comme de l'autre. Malgré tout, chacun de nous peut choisir au moins une façon d'apporter sa contribution, de s'atteler avec passion à une bonne cause dans l'espoir de changer les choses.

L'apathie est une attitude dangereuse en ce monde où il y a tant de ressources, mais aussi tant de besoins inassouvis. Même le plus petit d'entre nous peut avoir un impact. En fait, même l'inaction a un impact puisqu'elle perpétue l'indifférence. En choisissant d'agir, vous contribuez au mieux-être de ceux que vous touchez directement, mais vous inspirez aussi les autres à suivre votre exemple.

Un petit effort peut mener à de grands changements. Prenez aujourd'hui quinze minutes de votre temps pour faire un appel téléphonique ou écrire une lettre à un journal ou à une personnalité médiatique afin de leur parler d'une cause qui vous tient à cœur.

SEMAINE 30

LUNDI

Ne priez pas quand il pleut si vous ne priez quand il fait soleil.

SATCHEL PAIGE

En affaires, on est parfois si occupé qu'on en vient à négliger d'autres aspects importants de sa vie. Bien que le travail soit une chose primordiale, les activités familiales, civiques et communautaires nécessitent aussi votre attention.

Nous avons bien souvent tendance à favoriser les aspects de notre vie qui sont les plus mouvementés. Or, dans le chahut et la clameur, nous pouvons aisément perdre de vue notre vie spirituelle. Au milieu de toutes ces choses palpitantes qui réclament votre attention, vous devez garder une place pour la spiritualité, peu importe la façon dont vous l'exprimez. La spiritualité est source de réconfort; elle nous aide à apprécier la vie même quand les choses ne vont pas aussi bien qu'on le souhaiterait. Elle nous incite aussi à apprécier davantage tous les bons côtés de notre existence, que nous tenons trop souvent pour acquis.

N'oubliez pas d'entretenir votre côté spirituel. Que vous cherchiez la transcendance dans la nature, dans la religion ou dans la philosophie, prenez le temps de nourrir les idées, les sentiments et les convictions qui vous définissent. Et, par-dessus tout, ouvrez votre cœur à la gratitude.

Seule la médiocrité peut s'élever dans un système qui ne tolère pas les nouvelles idées.

LAURENCE J. PETER

Jusqu'à quel point acceptez-vous que les membres de votre équipe contestent vos décisions et vos directives? Même s'il est déconcertant d'être ainsi remis en cause, vous devez permettre à vos collaborateurs de débattre vos idées, sinon vous finirez par être entouré de gens qui vous disent uniquement ce que vous voulez entendre. Or, l'approbation des autres ne vous aidera pas à prendre les meilleures décisions pour vous, vos employés et votre entreprise.

Toute confrontation est saine du moment qu'elle est mue par de bonnes intentions et conduite avec honnêteté. Vous devez sans doute une bonne part de votre statut et de votre succès à votre courage et à votre capacité à prendre des risques. Ne voulez-vous pas que vos collaborateurs suivent votre exemple? Encouragez-les à vous confronter. Leur opinion est importante même si elle diverge de la vôtre.

Invitez les gens qui vous entourent à s'exprimer quand ils sont en désaccord avec vos projets ou vos idées. Remerciez-les quand leur intervention vous permet d'entrevoir une nouvelle façon de faire, une nouvelle direction.

Il est une expression universelle de la bêtise humaine qui veut que le succès de l'autre soit la cause de notre échec et de notre malheur.

CHARLES VICTOR ROMAN

Nous vivons dans un monde férocement compétitif. Les leaders et les entreprises se concentrent parfois si intensément sur la lutte contre leurs rivaux qu'ils perdent de vue la raison première de leur existence qui est de servir le client.

Ne concentrez pas toute votre attention sur vos compétiteurs, même si vous avez l'impression qu'ils sont en train de vous devancer. Occupez-vous plutôt de vos clients. Si vous tirez de l'arrière, c'est peut-être parce que vous ne répondez pas assez adéquatement à leurs besoins. Or, vous ne pouvez pas blâmer vos compétiteurs pour cela. Endossez la responsabilité de vos pertes comme de vos gains. Identifiez les besoins de votre clientèle, puis prenez les mesures nécessaires pour répondre à ces besoins mieux que quiconque. Vous découvrirez peut-être que vos compétiteurs n'étaient pas l'obstacle que vous imaginiez.

Restez aux aguets de vos compétiteurs, mais tout en demeurant concentré sur votre clientèle. Au bout du compte, ce sont vos clients et non vos compétiteurs qui décideront du sort de votre entreprise.

Je ne laisse pas ma bouche dire ce que ma tête ne veut pas entendre.

LOUIS ARMSTRONG

Quand on arrive à la fin de sa vie et qu'on a fait sa part pour bâtir un monde meilleur, il nous reste deux choses: l'intégrité et le respect de soi. Restez fidèle à vous-même, car vous finirez misérable et malheureux si vous passez votre vie au service d'idéaux en lesquels vous ne croyez pas. Tout l'or du monde ne suffirait pas alors à racheter votre honneur.

Vous êtes probablement beaucoup plus influent que vous ne le croyez; bien des gens s'en remettent à vous et écoutent ce que vous avez à dire. Usez de ce pouvoir à bon escient. Ne trahissez jamais vos convictions les plus fondamentales, même quand la fin semble justifier les moyens. Le respect de soi a tôt fait de s'effriter lorsqu'on agit à l'encontre de ses valeurs personnelles. Ayez le courage de vos convictions. Votre vie n'en sera que plus riche et valorisante.

Restez ferme lorsque vous êtes confronté à des idées qui vont à l'encontre de vos valeurs fondamentales. Laissez votre instinct vous dicter la voie honorable, puis agissez en conséquence, avec droiture et intégrité.

Quand on ne se sent pas bien à l'intérieur, ce qu'on porte à l'extérieur n'a aucune importance.

LÉONTINE PRICE

Une bonne part de votre succès dépend de votre estime de vous-même. Si vous êtes fier de vous et de ce que vous faites, vous marcherez la tête haute et ferez ce qu'il faut pour réussir.

Quand un individu développe des mécanismes pour cacher ses émotions, celles-ci n'en disparaissent pas pour autant: elles sont là, sous la surface, et se manifestent à travers son comportement. De même, si vous n'êtes pas fier de vous, de vos actions ou de vos accomplissements, vous ne pourrez pas cacher bien longtemps votre honte, tant aux autres qu'à vous-même. Je sais que c'est plus facile à dire qu'à faire, mais faites les choses qui vous rendent fier de vous-même et évitez celles que vous cachez parce que vous n'en êtes pas fier. Il coûte toujours plus cher de faillir à son intégrité que de rester fidèle à ses valeurs.

Ne tenez pas pour acquises les petites choses qui vous remplissent de fierté. Les gens ne remarqueront sans doute pas tous vos actes de foi, mais ils finiront par ressentir votre influence positive si vous continuez d'agir avec intégrité.

Le travail d'équipe n'est pas affaire d'ego, mais il faut y investir son moi.

DONALD LUCE

La consolidation d'équipe est l'un des moyens les plus efficaces dont une entreprise dispose pour s'adapter au changement. En cette ère où le savoir et les compétences sont de plus en plus spécialisés, les jours du généraliste sont comptés. On assiste aujourd'hui à une forte interdépendance entre les individus et les départements. Même que des entreprises jusque-là rivales doivent désormais collaborer pour rester compétitives.

Les membres d'une équipe devaient autrefois faire abstraction de leur individualité pour le bien du groupe, ce qui n'est plus le cas maintenant. Aujourd'hui, chacun est appelé à mettre ses talents et ses passions à contribution. Une équipe efficace est celle qui sait ce que chacun de ses membres peut faire pour aider l'organisation à atteindre ses objectifs. Célébrez l'individualité au sein de votre équipe et ce seront bientôt ses accomplissements que vous célébrerez.

Intéressez-vous à ce que vos employés et vos collaborateurs font à l'extérieur du travail. De la rock star *en herbe au physicien amateur, vous découvrirez sans doute chez eux des passions et des talents insoupçonnés.*

Si vous n'avez jamais eu peur, si vous n'avez jamais été blessé dans votre amour-propre ou embarrassé, c'est que vous n'avez jamais pris de risques.

JULIA SOREL

Personne n'aime se sentir embarrassé. La plupart des gens sont fort soucieux de protéger leur ego et ne prennent donc pas les risques qu'il faut pour atteindre leurs objectifs. De façon générale, on peut dire que plus grand est le risque, plus grande est la récompense.

Que gagne-t-on en évitant le risque ? Et d'ailleurs, pourquoi cherche-t-on tant à l'éviter ? Y a-t-il une personne que vous évitez d'approcher parce que vous avez peur d'être rejeté ? Y a-t-il des sujets que vous n'abordez pas en public parce que vous avez peur d'être ridiculisé ?

Ne craignez pas de prendre des risques ; votre ego est capable d'encaisser les coups durs. Et puis, vous apprendrez énormément en sortant ainsi de votre zone de confort.

Ne vous prenez pas trop au sérieux. Moquez-vous gentiment de vous-même quand vous avez l'impression d'aborder les choses avec une gravité excessive. Cette prise de conscience vous aidera à accepter le fait que tout le monde peut se tromper. Après tout, une erreur n'est pas la mort !

Celui qui parle le premier, perd.

SUN TSU

Le silence est un outil de communication très puissant en ce sens qu'il nous permet de porter une plus grande attention à ce que disent les autres. Lors d'une conversation, il nous arrive souvent de ne pas écouter l'autre assez attentivement ou de mal le comprendre parce que nous passons notre temps d'écoute en dialogue intérieur avec nous-même. Pendant que l'autre parle, nous pensons à ce que nous allons dire quand viendra notre tour de parler, et donc on ne l'écoute pas vraiment. Nous sommes si distrait que nous devenons incapable de capter les aspects plus subtils du message, transmis par le regard et le langage corporel de l'interlocuteur.

Quand on pratique l'art du silence attentif, on est plus apte à capter le sens du message que l'autre nous transmet, ce qui nous permet de lui répondre de façon réfléchie et mesurée, en allant droit à l'essentiel. Le silence attentif vous aidera à mieux saisir ce qu'il y a d'important dans le discours de vos interlocuteurs et à réagir ensuite de façon plus appropriée.

Aujourd'hui, quand vous serez en position d'écouter quelqu'un, concentrez-vous sur son discours en vous efforçant de taire les pensées interférentes qui traversent votre esprit. Vous aurez un bien meilleur niveau d'écoute une fois que vous vous serez débarrassé de cet ennuyeux bruit de fond.

Aie peur – on ne peut pas échapper à la peur –, mais ne la laisse pas transpirer. Rien dans la forêt ne te fera de mal, à moins qu'il ne se sente traqué ou ne respire ta peur.

WILLIAM FAULKNER

La peur n'est pas une chose qu'on peut complètement dominer. Elle fait partie de l'instinct humain et, en certaines occasions, elle a pour fonction de nous protéger. Mais si la peur nous empêche d'exploiter notre plein potentiel, c'est là qu'il faut trouver un moyen de la contrôler.

On peut gérer la peur en prenant conscience de sa présence. Soyez attentif aux signaux qu'elle vous envoie. Une fois que vous aurez identifié cette réaction instinctive, contrôlez-la par la raison en comparant le risque réel encouru aux gains potentiels qui vous attendent si vous passez à l'action. L'état d'alerte que vous ressentez ne s'estompera peut-être pas complètement si vous confrontez ainsi le danger, mais au moins vous n'agirez pas sous l'emprise de la panique. Ayant surmonté votre peur par le biais de la raison, vous pourrez aller de l'avant avec assurance, même si l'entreprise dans laquelle vous vous lancez comporte sa part de risque et d'incertitude.

Faites-vous peur. Allez voir un film d'épouvante afin d'éprouver votre seuil de tolérance. Si le film vous effraie au-delà de ce que vous pouvez supporter, dites-vous : « Ce n'est qu'un film, rien de plus. » Appliquez cette même technique de perception dans la vie, lorsque vous êtes confronté à une situation qui vous fait peur.

Là où il n'y a point de vision, le peuple périt.

PROVERBES 29,18

Un des plus grands défis du leader consiste à articuler de façon claire et concise la vision de ce qu'il veut accomplir pour ensuite adapter ou changer cette vision au gré des changements.

Les choses continueront sans doute de se faire si vous n'avez pas de vision, mais ne vous attendez pas en ce cas à faire bien des progrès. Si vous avez une vision, mais que vous n'avez pas la capacité ou la volonté de l'adapter lorsque les circonstances l'exigent, alors elle deviendra vite banale et dépassée.

Ayez une vision claire de votre destination, mais tout en l'adaptant constamment. Communiquez les changements que vous apportez le plus vite possible aux gens que vous dirigez afin qu'ils puissent continuer à vous suivre.

Pensez parfois en termes métaphoriques. Vous pouvez par exemple imaginer que votre entreprise est une compagnie de danse de calibre international si cette image est plus évocatrice dans votre esprit que celle d'une entreprise traditionnelle, dont le succès est mesuré en termes de gains et de pertes.

Celui qui travaille pour son propre intérêt fera l'objet de bien des animosités.

CONFUCIUS

Vous êtes-vous intéressé récemment aux aspirations des gens que vous côtoyez, comme les membres de votre famille, vos amis ou vos collègues? Le temps que vous passez à vous intéresser aux besoins des autres n'est pas du temps perdu. Il vous sera au contraire très profitable – vous verrez que vous y gagnerez au change.

Demandez aux autres ce que vous pouvez faire pour les aider à réaliser leurs rêves et à atteindre leurs objectifs. Soyez là pour eux quand ils vous demandent conseil. Les gens seront plus sensibles à vos besoins et veilleront plus volontiers à vos intérêts si vous faites de même pour eux. Ils seront par contre moins enclins à vous aider si vous ne songez qu'à vos propres intérêts, même qu'ils ne feront probablement que ce à quoi ils sont obligés. Ce genre de climat n'est pas propice à la réussite.

Ne vous contentez pas d'une réponse monosyllabique quand vous demandez à quelqu'un comment il va. Attardez-vous un peu et exigez des détails.

Dans la vie, on sait rarement d'avance si un événement à venir sera pour nous d'une importance cruciale.

ANYA SETON

Être au bon endroit au bon moment est un des éléments-clés du succès. Sachant cela, certains s'en remettent entièrement à la chance; d'autres assistent à toutes les réunions, réceptions et événements auxquels ils sont invités. Ces deux stratégies ont leur mérite, mais elles ne peuvent porter fruit que si elles donnent régulièrement lieu à des situations favorables.

La meilleure façon de procéder consiste à évaluer objectivement tout événement qui vous permettra de rencontrer des gens susceptibles de vous aider, puis d'établir des priorités. Essayez de savoir qui sera présent à l'événement et quels seront les sujets discutés. Élaborez à l'avance des stratégies qui vous permettront d'exploiter toute circonstance opportune. Vous ne pouvez pas prévoir avec certitude où et quand vous rencontrerez vos meilleurs contacts – le hasard a tout de même son mot à dire là-dedans –, néanmoins vous pouvez maximiser vos chances en analysant d'avance les situations potentiellement prometteuses. Une fois sur place, soyez ouvert et détendu, mais tout en restant à l'affût des bonnes opportunités.

Si vous avez à choisir entre un événement lié à une bonne cause et un autre qui a pour unique fonction de vous donner du bon temps, souvenez-vous que les bonnes causes attirent de bonnes personnes.

Nul homme ne peut progresser quand il vacille entre deux choses opposées.

ÉPICTÈTE

Personne ne respecte un leader hésitant. L'indécision est l'antithèse de ce que l'on attend des individus que l'on choisit de suivre.

Vous ne pouvez pas faire plaisir à tout le monde. Chaque décision que vous prendrez aura ses détracteurs. Même quand vous cherchez le compromis, vous devez finir par prendre position, par prendre une décision, sinon vous n'en sortirez jamais. Tant que vous vacillerez, vous n'arriverez à rien.

Ne restez pas assis entre deux chaises quand vient le temps de prendre une décision importante. Faites vos devoirs. Identifiez les individus qui sont susceptibles d'être en désaccord avec vous. Présentez vos arguments. Faites ce que, en votre âme et conscience, vous croyez juste. Et surtout, soyez prêt à assumer les conséquences de votre décision.

On ne peut rien enseigner aux gens. On peut seulement les aider à découvrir le savoir qu'ils portent déjà en eux.

GALILÉE

Aider les autres à apprendre et à se développer est un de vos rôles les plus importants en tant que leader. Il importe peu que vous n'ayez pas le temps ou les compétences requises pour leur montrer ce qu'ils ont besoin d'apprendre. Votre rôle n'est pas d'enseigner, mais de fournir aux gens des opportunités qui leur permettront de découvrir leurs talents innés afin qu'ils puissent ensuite les développer.

Transmettez l'information et le savoir. Mettez sur pied des programmes de formation. Encouragez la lecture comme activité. Assurez-vous que vos gens puissent régulièrement mettre en pratique leurs nouvelles aptitudes et compétences. Faites tout cela, mais tout en faisant comprendre aux autres qu'au bout du compte, chacun est responsable de son propre développement.

Donnez l'exemple en vous perfectionnant vous-même de façon continue. Faites du développement de vos talents et de vos aptitudes l'une de vos priorités… et montrez aux autres ce que vous avez appris.

La vengeance n'est pas douce, elle est amère comme l'enfer.

DUKE ELLINGTON

Tout au long de votre carrière, vous aurez droit à votre part d'échecs. Or, il vous arrivera de perdre aux mains d'individus mesquins, égoïstes et vindicatifs qui, non contents de vous infliger une défaite, chercheront en plus à vous humilier.

Même si la tentation est forte, ne perdez pas votre temps à essayer de vous venger d'eux. Toute cette énergie négative ne fera que miner vos forces – sans compter que vous aurez l'air d'un mauvais perdant si vous contre-attaquez. Acceptez plutôt la défaite avec dignité et humilité, puis concentrez-vous ensuite sur vos objectifs à long terme. Quand vous retournerez sur le champ de bataille, faites-le parce que vous voulez vous battre pour vos aspirations, et non pour vous venger. Votre victoire n'en sera alors que plus douce.

Acceptez le fait qu'il y a dans le monde des gens mal intentionnés. Faites-leur face courageusement, mais sans vous rabaisser à leur niveau.

Une fois que vous avez été numéro un, vous ne pouvez plus vous contenter de moins.

CHRIS EVERT

Il est à la fois exaltant et terrifiant pour un leader de constater qu'il devance l'ensemble de ses compétiteurs. Quand on est au sommet, il y a toujours quelqu'un pour essayer de nous faire tomber de notre perchoir, de nous déloger pour ensuite prendre notre place.

C'est paradoxalement quand on a le plus de succès qu'on est le plus vulnérable. Quand on domine la compétition, on se sent invulnérable. En fait, c'est la réussite et la gloire qui nous aveuglent.

Une fois que vous aurez atteint le sommet de votre profession – ou quand votre entreprise sera première dans son domaine –, restez vigilant et continuez de faire les choses qui vous ont permis d'en arriver là; vous aurez ainsi d'excellentes chances de rester au sommet. Surtout, ne vous endormez pas sur vos lauriers: il serait démoralisant, tant pour vous que pour votre équipe, de perdre cette position privilégiée.

Soyez vigilant. Dans les moments où vous vous sentirez satisfait de votre réussite, n'oubliez pas de surveiller vos arrières. Il y a très certainement quelqu'un, quelque part, qui est prêt à vous attaquer pour prendre votre place ou améliorer sa condition.

L'excellence et l'humilité ne sont pas incompatibles,
au contraire, ce sont des sœurs jumelles.

HENRI LACORDAIRE

Votre capacité d'acquérir rapidement de nouvelles compétences vous a aidé à vous rendre là où vous êtes aujourd'hui. Vous êtes une personne polyvalente qui se débrouille bien dans plusieurs domaines. Vous avez bien de la chance d'avoir tout ce talent, mais n'allez pas jusqu'à croire que vous pouvez tout faire.

Il n'est pas facile pour une personne aux facultés multiples d'admettre que certaines compétences sont plus difficiles à maîtriser que d'autres. Lorsque vous passez trop de temps à travailler sur un projet, demandez-vous s'il n'y aurait pas dans votre équipe quelqu'un qui pourrait faire ce travail mieux et plus facilement que vous. Si oui, déléguez au lieu de vous acharner vainement. Confinez-vous aux domaines dans lesquels vous excellez. Consacrez votre temps à la partie la plus importante de votre travail : vous êtes le visionnaire qui inspire les autres à le suivre pour réaliser avec lui sa vision.

Comme tout bon leader, vous avez su vous entourer de gens qui, de bien des façons, sont plus compétents et plus intelligents que vous. Ne gaspillez pas ce prodigieux bassin de talents. Confiez aux autres les tâches qu'ils font le mieux, puis laissez-les faire leur boulot – surtout s'ils savent faire ces choses mieux que vous.

Un navire est en sécurité quand il est amarré au port, mais ce n'est pas pour cela que sont faits les navires.

BENAZIR BHUTTO

Même si votre vision est d'une clarté absolue, vous ne pouvez pas savoir avec certitude ce qui vous attend par-delà l'horizon. Or, on ne peut pas découvrir de nouveaux continents si l'on n'a pas le courage de quitter le rivage.

Avez-vous le courage d'explorer de nouvelles directions même si vous ne savez pas où cela vous mènera ? Croyez-vous que vous pourrez traverser avec succès toutes les épreuves que l'avenir vous réserve, du moment que vous êtes bien préparé ?

Vous pouvez bien sûr choisir la voie de la prudence, mais ce n'est pas pour cela que sont faits les leaders.

À quand remonte la dernière fois où vous avez fait acte de courage pour imposer une nouvelle vision, pour réinventer tel ou tel aspect de votre entreprise ? Donnez-vous comme priorité de développer des idées audacieuses qui vous mèneront là où personne d'autre n'ose aller.

Si l'être humain veut survivre, il doit apprendre à se réjouir des différences essentielles qu'il y a entre les hommes et les cultures. Il doit apprendre que les différentes attitudes et idéologies sont une fête, qu'elles font partie de l'excitante variété de l'existence et qu'on ne doit pas les craindre..

GENE RODDENBERRY

La diversité présente au leader des enjeux, ainsi que de grandes opportunités. La planète se fait aujourd'hui de plus en plus petite, ce qui fait que nous sommes constamment en contact avec des personnes issues de différentes cultures et religions, des gens qui ont des coutumes et des valeurs différentes des nôtres. Ces différences sont bien souvent source de confrontation entre les peuples et les individus. La diversité donne au leader l'opportunité d'unifier tout ce beau monde.

Prenez position contre la discrimination. C'est la bonne décision à prendre, tant moralement que financièrement. Pourquoi financièrement ? Parce que le bon sens dicte qu'il est plus productif de faire affaire avec les gens en se basant sur leurs aptitudes plutôt que sur leur sexe, leur ethnie ou la couleur de leur peau. Apprenez à choisir vos candidats en fonction de leur rendement et de leurs compétences, et invitez les gens que vous dirigez à faire de même.

Donnez l'exemple à ceux qui vous admirent et vous respectent en accentuant les aspects positifs des différences humaines. Dénoncez la discrimination et favorisez au sein de votre entreprise une plus grande ouverture, une plus grande tolérance.

Je ne permets pas aux gens d'être neutres.

ANDREW YOUNG

Neutralité est synonyme de sécurité. Quand on ne se prononce pas sur une question, on n'a pas à se soucier d'avoir à défendre ses convictions. De fait, ne pas prendre position équivaut à dire qu'on n'a pas de convictions. La neutralité permet sans doute d'éviter la confrontation, mais ce n'est certainement pas la voie du leader.

La passion est la pierre angulaire du leadership en ce sens qu'elle motive et énergise. Si vous laissez votre passion s'étioler, vous perdrez la capacité de motiver les autres et de vous motiver vous-même. Vous aurez alors bien du mal à vous rapprocher de votre but.

Vivez passionnément, quelle que soit la manière dont vous exprimez cette passion, et exigez des gens que vous dirigez qu'ils soient eux aussi passionnés.

Dressez la liste des choses qui vous passionnent dans la vie, des choses qui vous préoccupent ou en lesquelles vous croyez. Quels gestes posez-vous pour faire comprendre aux autres l'importance qu'ont ces choses à vos yeux? N'oubliez pas que vos actions témoignent de vos convictions plus que vos paroles ne pourraient le faire.

SEMAINE 34

LUNDI

Restez à l'affût des idées intéressantes et inusitées que d'autres ont utilisées avec succès. Votre idée ne doit être originale que dans l'adaptation que vous en faites.

THOMAS EDISON

On n'a pas besoin de réinventer la roue pour en développer une qui offre une meilleure traction. Des centaines d'opportunités vous passent chaque jour sous le nez. Avant de pouvoir vous en saisir, vous devez prendre l'habitude de les remarquer, voire même de les rechercher.

Explorez des secteurs qui ne sont pas desservis par des produits ou des services existants. Parmi la myriade d'idées nouvelles qui ont du succès, bon nombre sont le fruit d'innovations progressives élaborées à partir d'un produit déjà existant; les découvertes capitales, entièrement novatrices, sont plus rares en comparaison.

Restez à l'affût des petites améliorations que vous pouvez apporter à vos produits et à vos services. Adaptez votre façon de faire afin de mieux répondre aux nouveaux besoins de votre clientèle. Songez que le marché, à l'instar des gens que vous dirigez, accepte plus volontiers les petites améliorations que les changements drastiques.

Entraînez votre esprit à chercher des alternatives créatives à des produits existants. Vous pouvez par exemple, à titre d'exercice, imaginer toutes sortes de nouveaux usages pour les trombones dont vous vous servez pour attacher vos documents.

L'homme n'est pas l'œuvre de circonstances, les circonstances sont l'œuvre de l'homme.

BENJAMIN DISRAELI

Qu'avez-vous fait récemment pour injecter du neuf dans votre vie ? Nous sommes sur Terre pour créer – cela fait partie de notre instinct naturel. Malheureusement, nous avons trop souvent tendance à nous laisser entraîner par le flot anodin du quotidien. Engoncés dans la routine, nous nous satisfaisons du statu quo, ce qui ne peut mener au bout du compte qu'à une insatisfaction profonde.

Les bons leaders sont toujours à l'affût des nouvelles opportunités. Il ne suffit pas d'attendre sa chance, encore faut-il la provoquer ! Vous devez rester à l'écoute pour pouvoir saisir l'opportunité quand elle se présente, mais vous devez aussi être capable de l'adapter à vos besoins, sans quoi elle ne vous sera d'aucune utilité. Vous aurez à faire beaucoup d'efforts pour éviter de sombrer dans une morne et peu inspirante routine, mais si vous réussissez, vous en retirerez une grande satisfaction personnelle.

Ayez toujours à portée de main un petit calepin dans lequel vous noterez les idées qui vous passent par la tête. Prenez l'habitude de l'utiliser, et consultez-le régulièrement pour y puiser de nouvelles sources d'inspiration.

Le cadre le plus efficace est celui qui forme les autres pour qu'ils deviennent meilleurs que lui.

ROBERT G. INGERSOLL

Bien des leaders gaspillent leur énergie à essayer de se rendre indispensables. Eu égard au climat d'intense compétitivité qui règne aujourd'hui dans le monde des affaires, il est compréhensible que chacun songe à sa propre survie. Cela dit, cette attitude n'est pas une stratégie de leadership saine et productive.

Les bons leaders savent qu'ils ont la responsabilité de développer les individus qu'ils dirigent. Votre travail n'est pas de montrer que vous savez tout faire mieux que les gens qui sont à votre emploi, mais de les former et de les développer au maximum de leurs capacités. Vous aurez ensuite la satisfaction de voir ces gens grandir et prospérer – sans compter que vous aurez alors le privilège de diriger des futurs leaders hautement performants et désireux de réussir.

Vos collaborateurs les plus performants ont besoin de savoir que vous vous souciez de leur développement. Rencontrez au moins une fois par semaine les individus qui représentent selon vous la prochaine génération de leaders dans votre entreprise. L'intérêt que vous leur portez finira par payer de gros dividendes.

Le changement est bon. Commence, toi.

DILBERT

Vous êtes prêt à vous adapter au changement, mais en est-il de même des gens que vous dirigez?

Un bon leader doit être capable de gérer le changement – ce qui est une chose plus facile à dire qu'à faire. Le problème est que les périodes de transition qui surviennent au sein d'une entreprise sont souvent déstabilisantes et menaçantes pour les personnes qui lui sont directement ou indirectement associées, c'est-à-dire les employés, leur famille, les fournisseurs de service, les commerçants, les clients, etc. Votre rôle consiste à expliquer aux autres ce qu'ils ont à gagner en appuyant ces changements. Ouvrez les voies de la communication avec eux; écoutez ce qu'ils ont à dire. Plus souvent qu'autrement, ce n'est pas au message que les gens s'opposent, mais à l'absence de message.

Vous ne pouvez pas prendre une décision qui plaira à tout le monde – il y aura toujours des gens pour s'opposer au changement que vous préconisez. Ce que vous pouvez faire, cependant, c'est aider les autres à comprendre les motifs qui sous-tendent ce changement et leur expliquer en quoi il leur sera bénéfique. Si le changement en question ne leur apporte aucun bienfait apparent, assurez-vous au moins que la transition se fasse le moins douloureusement possible.

En quoi le changement que vous proposez affecte-t-il les cadres et les travailleurs de votre entreprise? Ce changement sera très difficile à mettre en œuvre si vos effectifs le jugent excessif et déstabilisant.

Quel est celui d'entre vous qui, voulant bâtir une tour, ne s'assied d'abord pour calculer la dépense et voir s'il a de quoi la terminer ?

LUC 14,28

Nous avons tous le pouvoir de créer ce que nous voulons. Certains choisiront de bâtir un château dans les hauteurs; d'autres opteront pour une petite cabane sur le bord de la mer. Tout est possible.

Le mot-clé est, ici, «choisir». Vous devez calculer les coûts de vos décisions. Quoi que vous choisissiez, vous allez devoir faire des sacrifices pour l'obtenir. Qu'est-ce qui est le plus important pour vous ? Quel impact vos rêves auront-ils sur votre famille, sur vos temps libres, sur votre estime de vous-même ? Quels sont les coûts et les gains financiers liés au projet ? Aurez-vous un prix moral ou spirituel à payer ?

Quelles que soient vos aspirations, commencez par estimer, tant avec votre cœur que par la raison, le prix de vos rêves. La valeur d'une chose peut se mesurer de plusieurs façons.

Ne sous-estimez pas le prix émotionnel et spirituel que vous, et ceux que vous dirigez, aurez à payer dans la poursuite de vos rêves. Tenez compte de cet aspect crucial dans vos analyses coûts-avantages.

La conscience de soi est sans doute l'un des attributs les plus importants du champion.

BILLIE JEAN KING

Vous devez savoir dans quels secteurs ou dans quels domaines vous avez besoin d'aide avant de pouvoir aider les autres. Vous devez savoir en quoi vous pouvez aider les autres avant de solliciter leur aide. Vous devez connaître vos propres points forts avant de pouvoir conjuguer vos talents à ceux des autres. Votre vision doit être d'une clarté absolue avant que vous demandiez à d'autres de la suivre.

Ces petits principes sont faciles à comprendre, mais plus difficiles à mettre en pratique. Un bon leader doit constamment faire l'inventaire de ses forces et de ses besoins, car ils sont changeants. Nous n'avons aucun mal à faire ce genre d'évaluation sur autrui – nous faisons cela tout naturellement –, par contre, nous avons plus de difficulté à le faire sur nous-même.

Révisez régulièrement vos compétences, vos besoins et vos convictions. Il est plus facile de connaître les gens qu'on dirige quand on a d'abord appris à se connaître soi-même.

Investissez dans l'âme humaine, car elle est riche de trésors insoupçonnés.

MARY MCLEOD BETHUNE

La plupart des leaders reconnaissent l'importance de la formation technique. Les entreprises dépensent chaque année des milliards de dollars en enseignements de toutes sortes, des mathématiques de base aux techniques de recherche et de développement hautement spécialisées. Mais trop souvent, nous radinons quand vient le temps d'investir en l'esprit humain.

La croissance personnelle présente pourtant des bienfaits inestimables pour l'entreprise. Imaginez la somme d'énergie et d'engagement que vos gens investiraient dans leur travail s'ils connaissaient leurs propres motivations et si leur boulot était en accord avec leurs valeurs, leurs principes, leurs passions et leurs talents.

On parle rarement de l'âme en milieu de travail, ce qui est étrange considérant qu'il est tout aussi important de nourrir son côté spirituel que de mettre à jour ses compétences techniques. C'est lorsque nous sommes en paix avec nous-même que nous travaillons le mieux. Et c'est quand on a développé ce que l'on est au même titre que ce que l'on fait qu'on a le plus à apporter. Aidez les autres à entrer en contact avec leur moi intérieur. C'est le plus beau cadeau que vous puissiez leur offrir.

Personnalisez votre entreprise. Trouvez quels sont les intérêts de vos collègues, puis adaptez leur milieu de travail de façon à susciter leurs passions.

Bien des gens ont une idée erronée du bonheur. On ne l'atteint pas en satisfaisant ses désirs, mais en se vouant à un but louable.

HELEN KELLER

Nous mettons beaucoup d'énergie à essayer d'être heureux. Nous nous amusons, nous voyageons, nous côtoyons nos amis, nous gagnons de l'argent et le dépensons. Certains prennent des antidépresseurs au nom du bonheur. Malgré tout cela, nous continuons de nous sentir insatisfaits.

C'est quand nous nous vouons à un but ou à une cause qui dépasse nos besoins personnels que nous sommes les plus heureux. Des études menées auprès de gens qui vivent longtemps, heureux et en santé ont démontré que les activités quotidiennes qui ont une vocation extérieure à l'individu – activités communautaires, familiales, paroissiales, etc. – contribuent à la satisfaction et à la longévité de cet individu. Bref, notre bonheur et notre épanouissement passent par notre désir d'aider les autres et de contribuer de façon positive à l'avenir et à la société.

La prochaine fois que vous vous demanderez si vous êtes vraiment heureux, réfléchissez à ce qui motive vos actions. Que faites-vous, que fait votre entreprise pour aider les autres et bâtir un monde meilleur ?

Ce désir qu'a l'homme d'améliorer sa condition débute dans la matrice pour ne le quitter que dans la tombe.

ADAM SMITH

Vous travaillez d'arrache-pied parce que vous voulez réussir et rendre votre vie plus agréable et plus stimulante, ce qui est fort louable, mais n'oubliez surtout pas que les gens qui vous entourent nourrissent eux aussi ce désir. En tant que leader, vous avez l'opportunité – ou mieux encore, l'obligation – d'aider les autres à s'épanouir.

Si vous trouvez des façons d'aider vos gens à améliorer leur sort, tout le monde en sortira gagnant : vos employés et vos collaborateurs seront plus loyaux, plus motivés et mieux disposés à donner leur plein rendement. Par contre, si vous ne vous préoccupez pas de leur qualité de vie, ils finiront par partir en quête de plus verts pâturages. Ou pire encore : ils ne quitteront pas leur poste physiquement, mais cesseront de s'investir psychologiquement dans leur travail. En aidant les autres à améliorer leur sort, c'est votre propre épanouissement que vous facilitez.

Portez plus d'attention aux petits détails de la vie des gens qui vous entourent. Faites le nécessaire pour élever leur qualité de vie, ne serait-ce qu'un peu. Songez qu'on perd facilement de vue les besoins des autres quand on est satisfait de sa propre situation.

Il y a dans la vie des batailles qu'on ne gagne jamais pour de bon. On ne peut pas par exemple équilibrer un budget familial une fois pour toutes ; il faut y travailler continuellement. De même, la vie et la réussite sont des choses qui nécessitent un effort soutenu.

MARGARET THATCHER

Ce serait bien de pouvoir avoir une vision et des objectifs immuables auxquels on pourrait se fier pour les années à venir. Malheureusement, ce genre de fantastique permanence ne relève pas du domaine du possible.

Dans ce monde où des changements importants surviennent parfois en une fraction de seconde, vous devez permettre à votre vision d'évoluer, sinon vous ne pourrez pas bifurquer sur la meilleure voie quand l'occasion se présentera. Gardez votre vision et vos objectifs aussi fluides que possible. Lorsque vous serez confronté à de nouvelles variables ou à de nouvelles circonstances, révisez votre vision et votre position afin de pouvoir continuer d'avancer dans la bonne direction.

Évaluez votre vision périodiquement et de façon objective. Procéderiez-vous de la même façon si vous deviez tout recommencer à zéro aujourd'hui, sachant ce que vous savez maintenant ? Si ce n'est pas le cas, débarrassez-vous de ce qui ne fonctionne plus et bâtissez à partir de ce qui fonctionne toujours.

SEMAINE 36

LUNDI

Seuls ceux qui osent croire qu'ils ont en eux quelque chose de supérieur aux circonstances accomplissent des choses splendides.

BRUCE BARTON

Votre succès en tant que leader dépend probablement beaucoup de votre capacité à motiver les autres, à négocier des compromis, à créer des coalitions et à convaincre les gens du bien-fondé de votre vision. Il y a toutefois des moments où vos pouvoirs de persuasion ne vous permettront pas d'en arriver à une entente. Dans ces moments-là, songez que même les leaders les plus populaires ont leurs ennemis et leurs détracteurs.

Acceptez le fait qu'il y a des situations que vous ne pourrez résoudre sans déplaire à certaines personnes. Ceci est la conséquence naturelle d'un leadership fort et assumé. Vous serez parfois peiné que des gens soient en désaccord avec vos plans et vos décisions, mais n'oubliez pas que vous êtes responsable des décisions capitales qui concernent votre entreprise.

Quand vous sollicitez l'avis de d'autres personnes, faites-leur savoir au préalable quel poids auront leurs idées au terme du processus décisionnel. Cherchez-vous le consensus général ou est-ce la majorité qui va l'emporter? Considérerez-vous les suggestions des autres pour prendre seul ensuite la décision finale?

Chacun peut être grand… parce que chacun peut servir son prochain. On n'a pas besoin d'un diplôme universitaire pour être au service des autres. Tout ce dont on a besoin, c'est d'un cœur plein de grâce, d'une âme engendrée par l'amour.

MARTIN LUTHER KING JR.

Un leader éclairé met sa vie au service de choses extérieures à lui-même. Vous êtes au service de votre entreprise parce que vous voulez lui assurer une croissance continue. Vous êtes au service des gens que vous dirigez parce que vous voulez qu'ils développent leurs talents, s'épanouissent, puis servent les autres en retour. Vous êtes au service de votre famille parce que vous voulez qu'elle mène une existence confortable et enrichissante.

Le monde a besoin de leaders tels que vous, qui useront de leurs compétences et de leur influence pour aider les communautés à composer avec les nombreux enjeux sociaux auxquels ils font face. En vous mettant au service du public, vous pourrez vraiment changer les choses. À tout le moins insufflerez-vous un peu d'espoir dans la vie de gens qui vous sont inconnus, mais qui ont besoin que quelqu'un leur donne leur chance. Persuadez votre entreprise d'appuyer les causes sociales et encouragez les gens que vous dirigez à rendre à la société un peu de ce qu'elle leur a donné.

Encouragez les leaders de votre organisation à former des projets d'équipe liés à une bonne cause. Impliquez-vous dans des opérations de nettoyage communautaires, dans des projets de restauration de logements pour les personnes âgées, dans des programmes de mentorat pour les jeunes ou dans d'autres activités caritatives.

Celui qui vit au sein d'une monarchie peut aisément en venir à croire que le roi est infaillible.

PAUL DOUGLAS

Vous êtes une personne qui a énormément de pouvoir, tant dans sa vie privée que sur le plan professionnel. Vous avez la capacité de décider qui perdra et qui gardera son emploi. Vous prenez des décisions qui peuvent vous faire perdre ou gagner des fortunes. Les gens vous respectent et ne tarissent pas d'éloges, sentis ou non, à votre égard.

N'ayez pas la grosse tête même si tout vous réussit. Votre position de leadership ne tient qu'à un fil. Le monde est instable et il y a toujours quelqu'un pour chercher à vous déloger.

Préservez votre objectivité et votre sens des proportions, car c'est la meilleure façon de conserver votre pouvoir et de l'utiliser à bon escient. Restez humain. Créez et entretenez des alliances, ainsi qu'un bon réseau de soutien. Sollicitez l'aide d'autrui au besoin.

Ne croyez pas tout ce que les gens disent à votre sujet, que ce soit bon ou mauvais. Restez concentré sur vos objectifs et sur la tâche à accomplir.

Les consommateurs sont des statistiques. Les clients sont des individus.

STANLEY MARCUS

Votre organisation, qu'elle soit à but lucratif ou à but non lucratif, dessert une clientèle. Vos clients sont votre raison d'être, c'est pourquoi il est si important que vous répondiez adéquatement à leurs besoins.

Pour assurer la survie et la croissance de votre entreprise, vous devez vous mettre à la place du client. Posez-vous les questions suivantes et répondez-y franchement : Que rechercheriez-vous si vous étiez l'utilisateur de vos propres produits et services ? Quels besoins ces produits et services rempliraient-ils ? Donnez-vous à vos clients ce qu'ils veulent ? Les servez-vous de la façon dont ils veulent être servis ? Si vous avez répondu aux deux dernières questions par la négative, cela signifie qu'il est temps pour vous de réagir. Une entreprise qui cesse de se concentrer sur sa clientèle n'a plus aucune raison d'être.

Menez votre propre étude de rendement : contactez votre organisation en vous faisant passer pour un client. La qualité du service que vous recevrez vous indiquera quels changements vous devez apporter pour améliorer vos systèmes, vos politiques, vos procédés et votre service à la clientèle.

Une vie ne peut réellement s'accomplir que dans la concentration, le dévouement et la discipline.

HARRY EMERSON FOSDICK

L'autodiscipline est une caractéristique commune aux gens qui réussissent. En ce qui nous concerne, il est malheureusement plus facile de viser la gratification immédiate que de s'imposer une discipline qui donnera des résultats à plus long terme. Qui ne préférerait pas dormir quinze minutes de plus chaque matin au lieu de se lever pour se donner un temps de réflexion comme vous le faites en ce moment, en lisant ceci ?

Il est normal que vous vous accordiez un peu de temps libre de temps à autre, histoire de respirer un peu, mais songez qu'en perdant trop de temps à vous la couler douce vous réduisez vos chances d'atteindre vos objectifs à long terme, vous devenez moins efficace au jour le jour et vous pouvez même perdre les gains que vous avez faits. Il n'y a pas de raccourci qui mène à la réussite. La discipline est un ingrédient nécessaire au succès de toute personne qui veut laisser sa marque et avoir un impact durable sur la société.

Faites de l'autodiscipline une partie intrinsèque de vos habitudes de travail et célébrez ses manifestations. Félicitez-vous, récompensez-vous quand vous faites preuve de discipline et tenez vos engagements. Ce renforcement positif figure parmi les choses importantes que vous avez à faire.

Le pouvoir n'est pas une fin en soi, mais un instrument à utiliser pour atteindre un objectif.

JEANNE KIRKPATRICK

Plus on a de pouvoir et plus on peut accomplir de choses. Le pouvoir fait que c'est vous qui prenez les grandes décisions ; vous qui choisissez la nature et les paramètres de vos projets ; vous qui décidez qui en fera ou n'en fera pas partie. Il peut être enivrant de posséder autant d'autorité. Cela peut aussi vous détourner, très subtilement parfois, du droit chemin.

L'objectif d'un bon leadership n'est pas de maximiser son propre pouvoir – de fait, c'est quand on commence à penser ainsi que le pouvoir nous échappe. La seule façon d'augmenter son pouvoir est de montrer aux autres qu'on travaille dur dans la poursuite d'un noble objectif. Vous gagnerez en influence quand les gens que vous dirigez comprendront qu'ils ont tout à gagner en vous ayant pour chef. Le pouvoir dont vous avez besoin vous sera accordé si vous prouvez d'abord aux autres que vous en userez pour faire avancer les choses.

N'oubliez pas que plus on a de pouvoir et plus on est tenu de l'employer à bon escient. Mettez votre pouvoir au service des autres au lieu de l'utiliser uniquement dans votre propre intérêt.

Le désir d'apprendre est ce qui sépare la jeunesse de la vieillesse. On ne devient vieux que lorsqu'on cesse d'apprendre.

ROSALYN S. YALOW

L'apprentissage au sein des entreprises n'est pas qu'un concept à la mode. Pour rester compétitive en ce climat financier sans cesse changeant, une entreprise doit mettre l'accent sur l'acquisition et le développement continu des pratiques et des compétences qui augmenteront sa productivité.

Votre rôle en tant que leader consiste à créer un climat d'enthousiasme face à l'apprentissage et de faire en sorte que celui-ci soit perçu comme une opportunité. Donnez l'exemple en acquérant vous-même de nouvelles compétences et en perfectionnant celles que vous possédez déjà. Montrez aux autres que vous avez vous aussi beaucoup à apprendre. Cette façon de faire vous permettra d'assurer votre propre croissance, mais elle vous donnera aussi plus de crédibilité quand viendra le temps de défendre les bienfaits de l'apprentissage au sein de votre organisation. On peut donc dire qu'en plus de protéger votre entreprise et ses effectifs, l'apprentissage protège votre position de leadership.

Identifiez, parmi vos compétences, celles qui gagneraient à être mises à jour, puis fixez-vous un plan d'apprentissage visant à pallier ces lacunes. Restez au fait des nouvelles technologies dans votre champ d'activité. Votre exemple inspirera vos gens à faire de même.

Quand on se fie à son intuition, on évite bien des catastrophes.

ANN WILSON SCHAEF

On serait porté à penser qu'avec toute l'information dont les entreprises disposent aujourd'hui, les gestionnaires auraient plus de facilité à prendre des décisions éclairées. En réalité, toute cette information que l'on recueille nous informe surtout sur le passé, ce qui est fâcheux puisque le processus décisionnel cherche surtout à influer sur l'avenir. Toute l'information du monde ne pourrait donc garantir l'issue que vous désirez.

Au bout du compte, on se fie surtout à son instinct quand vient le temps de prendre une décision. Personne ne sait exactement comment fonctionne l'intuition, mais au fond cela n'a pas d'importance. L'important, c'est de reconnaître le rôle que joue l'intuition dans votre processus de pensée afin que vous puissiez vous y fier quand vient le temps de prendre une décision.

Ajoutez à la liste que vous employez pour soupeser le pour et le contre d'une situation donnée une troisième colonne que vous intitulerez « intuition ». Inscrivez dans cette colonne ce que vous dit votre intuition, en contrepartie de ce que vous dicte la logique.

Quand on cesse de prendre ses échecs au sérieux, cela veut dire qu'on cesse de les craindre. Il est immensément important d'apprendre à rire de soi-même.

KATHERINE MANSFIELD

Le leadership est une chose qu'il faut prendre au sérieux. Les décisions que vous prenez touchent la vie de bien des gens. Le futur de votre entreprise, de même que la sécurité et le confort de votre famille, dépendent en grande partie de ce que vous faites et de la façon dont vous le faites.

On n'échappe pas aux aléas de l'existence. Même quand on planifie tout soigneusement, il arrive toujours quelque chose pour venir brouiller les cartes. Une chose est certaine, c'est que la vie est beaucoup plus agréable quand on sait garder son sens de l'humour dans les moments difficiles.

Les gens ont tendance à graviter autour de leaders qui savent prendre même les situations les plus sérieuses avec un grain de sel. Tout leader devrait savoir qu'on se remet beaucoup plus facilement d'un échec quand on est dans un milieu de travail agréable et dans lequel il est permis de s'amuser. Vos collaborateurs seront plus motivés à reprendre le collier si vous ne les obligez pas à considérer chaque contretemps comme une catastrophe.

Soyez attentif aux petits incidents cocasses qui vous arrivent à la maison, au bureau ou en vous rendant au travail. Savourez ces moments rigolos et racontez-les ensuite à vos collègues.

Le courage est l'échelle sur laquelle s'élèvent toutes les autres vertus.

CLARE BOOTHE LUCE

Longue est la liste des vertus dont sont faits les grands leaders. Le courage est la plus importante – et la plus rare – d'entre elles.

Être courageux, c'est intervenir quand quelque chose ne va pas, même si notre intervention risque de nous attirer des ennuis. Le courage, c'est la volonté d'être honnête ; c'est aussi la vertu qui nous permet de mettre en pratique toutes nos autres vertus. Le courage, c'est avoir la force d'agir même quand la peur nous paralyse. Votre réputation de leader, de même que votre estime de vous-même, dépendent de votre capacité à agir courageusement là où d'autres s'abstiendraient d'agir.

Ayez le courage de vos convictions. Exprimez toujours franchement et ouvertement vos opinions. N'ayez pas peur d'être en désaccord avec votre entourage, mais exprimez ce désaccord de façon constructive, et non en rabaissant les autres.

Notre entraînement était intense, mais on aurait dit qu'on nous réorganisait chaque fois qu'on commençait à former des équipes. J'ai appris plus tard que dans la vie, on a tendance à tout réorganiser pour s'adapter à une nouvelle situation. Quelle merveilleuse méthode pour créer l'illusion du progrès tout en produisant confusion, inefficacité et démoralisation !

PÉTRONE, 65 AP. J.-C.

Les organisations en difficulté ont souvent recours à la réorganisation pour régler leurs problèmes. Cette méthode est trop souvent mal utilisée. Au lieu de favoriser une approche systémique, certains leaders optent pour un remaniement drastique du personnel dans l'espoir de diminuer le coût de leur main-d'œuvre. Il s'agit là d'une solution hâtive et peu éclairée qui cause généralement plus de problèmes qu'elle n'en résout.

Dans les moments critiques, il faut s'employer à comprendre l'impact des problèmes auxquels on fait face en étudiant leurs causes fondamentales. Avant de réorganiser un secteur de votre entreprise, considérez l'effet d'entraînement que ces changements provoqueront à travers tous les secteurs du système. Quelles en seront les conséquences globales ? En procédant ainsi, vous éviterez de prendre des décisions expéditives et inadéquates qui créeront de nouveaux problèmes au sein de votre organisation.

Avant de procéder à une restructuration majeure de votre entreprise, demandez à des collaborateurs issus de différents secteurs de l'entreprise de faire une analyse des conséquences et des résultats potentiels d'une telle restructuration. Vous aurez ainsi différentes prévisions issues de points d'observation différents.

Il y a une saison pour tout et un temps pour toute chose sous les cieux.

L'ECCLÉSIASTE 3,1

Vous vivez dans un monde rempli d'exigences. Vous avez une vision de ce que devrait être l'avenir. Vous avez la capacité de rêver, puis de mettre les choses en branle pour que ces rêves se concrétisent.

Il est parfois difficile d'être patient quand on veut que les choses se fassent, mais dites-vous bien que vous ne contrôlerez jamais entièrement le déroulement de vos projets. Fixez vos échéanciers, mais tout en sachant que des contretemps inattendus viendront inévitablement chambouler vos plans.

Soyez patient et ne vous découragez pas quand les choses ne se font pas aussi vite que vous le voudriez. Ne soyez pas de ceux qui abandonnent leurs rêves alors qu'ils sont à un cheveu de la réussite.

Soyez réaliste dans la poursuite de vos rêves. Persistez même s'ils prennent plus de temps que prévu à se réaliser.

Enseigner, c'est aussi aider les étudiants à apprendre à tolérer l'ambiguïté, à envisager les possibilités et à poser des questions sans réponses.

SARA LAWRENCE LIGHTFOOT

On ne cesse pas d'apprendre parce qu'on ne va plus à l'école. Notre apprentissage se poursuit, différemment bien sûr, une fois notre éducation officielle terminée.

Les nouveaux diplômés ont souvent peur d'explorer, de découvrir et de questionner quand ils arrivent sur le marché du travail. En tant qu'enseignant à l'école de la vie, vous devez les amener à changer d'optique. Faites-leur comprendre que pour être créatif, il faut être capable de contester l'autorité et de voir les choses sous un angle différent.

Favorisez le raisonnement et la pensée autonomes. Encouragez et récompensez les comportements qui dénotent une capacité à penser hors du cadre établi.

Afin de montrer aux gens que vous dirigez que vous êtes prêt à répondre à toutes leurs questions, quelles qu'elles soient, mettez en place un système qui leur permet de poser des questions de façon anonyme. En répondant à toutes les questions, et mêmes aux plus épineuses, vous créerez un environnement dans lequel les gens n'auront plus peur de penser différemment.

Il y a deux sortes de talent : celui qui est fait de main d'homme ; et celui que Dieu nous donne. Le talent fait de main d'homme nécessite un travail acharné. Celui qui est un don du Ciel ne nécessite qu'une petite mise au point de temps à autre.

PEARL BAILEY

Il y a des compétences que l'on doit développer et d'autres qui nous viennent naturellement, sans qu'on ait eu à faire quelque effort que ce soit pour les apprendre.

Nous avons tous tendance à aller là où nous portent nos talents naturels – ce qui est normal puisque ce sont là les choses que nous faisons le mieux et le plus aisément. Les domaines pour lesquels nous avons du talent nous semblent plus faciles et plus intéressants que les autres.

Vos collaborateurs et vos employés préfèrent eux aussi faire un travail qui met en valeur leurs talents naturels. Tenez-en compte, car cela vous permettra de comprendre pourquoi tel ou tel employé se rebiffe devant certaines tâches ou pourquoi tel autre ne semble pas aimer son travail. Quand un individu fait un boulot qui ne coïncide pas avec ses talents naturels, il peut devenir stressé et doit mettre plus d'énergie à remplir ses fonctions.

Aidez les gens que vous dirigez à trouver leur équilibre. Donnez-leur la chance de faire ce qu'ils aiment et font le mieux, mais tout en les encourageant à développer des compétences là où ils ont plus de difficulté. Faites-leur comprendre que vous leur donnerez l'opportunité d'exercer leurs nouvelles compétences jusqu'à ce qu'elles soient complètement intégrées.

Les gens savent que vous êtes sérieux quand vous produisez des résultats.

MUHAMMAD ALI

Bien que vous puissiez impressionner les autres par votre passion ou par vos projets, ce n'est pas avec des mots ou des rêves que vous bâtirez votre crédibilité ou que vous capterez l'intérêt des individus que vous dirigez. Pour ce faire, il faut que vous mettiez vos projets en action.

Vos idées inspirent les autres, mais ce sont vos actions qui les incitent à vous appuyer et à croire en vous. Pour gagner la confiance et le respect d'autrui, vous devez allier le geste à la parole. Les gens n'hésiteront pas à vous suivre quand ils verront que vous cherchez à concrétiser vos rêves.

Voyez grand… et petit à la fois. Planifiez à long terme, mais en vous donnant des objectifs intermédiaires qui assureront votre progression et vous permettront de remporter toutes sortes de petites victoires. Ces balises vous aideront à rester sur la voie que vous vous êtes tracée, mais elles vous aideront aussi à aller de l'avant et à vous attirer de nouveaux supporters.

Utilisez vos talents et aptitudes.

ARTHUR DOBRIN

Il y aura toujours des gens qui convoiteront votre position même si vous avez des idées du tonnerre, une vision stimulante et des qualités de leadership exceptionnelles. Ces individus sont prêts à tout pour prendre votre place.

Le leader qui veut garder son poste doit être compétent, certes, mais il doit aussi être capable de vanter ses propres mérites, ce qui nécessite de bonnes aptitudes de marketing. Il ne vous servira à rien d'être le meilleur leader du monde si les autres ne savent pas ce que vous faites ou ignorent tout de vos talents.

Ne taisez pas vos actions, car elles témoignent de vos accomplissements. N'ayez pas peur de faire un peu de relations publiques pour mettre les autres au courant de vos réalisations.

Les discussions qui ne mènent pas à une action concrète pourraient aussi bien être supprimées.

THOMAS CARLYLE

Le temps est une denrée précieuse dans le monde des affaires. Or, rien n'est plus frustrant pour un leader que de voir ses collaborateurs perdre leur temps dans des réunions improductives. Pour éviter tout conflit à ce sujet, assurez-vous que chaque réunion se termine par l'élaboration d'un ou de plusieurs plans d'action, peu importe que cette réunion ait lieu en personne, par téléphone ou par vidéoconférence. Les participants s'investiront davantage s'ils savent que leurs discussions mèneront à une action concrète.

À la fin de chaque réunion, assurez-vous qu'il n'y ait aucun doute quant à ce qui doit être fait, et par qui et quand cela doit être fait. Débutez chaque réunion par une évaluation de ce qui a été accompli depuis la réunion précédente.

En appréciant l'excellence d'autrui, nous la faisons nôtre.

VOLTAIRE

Ne soyez pas tant obnubilé par votre vision que vous négligiez d'apprécier les efforts de ceux qui vous aident à la concrétiser. Parlez de votre vision avec ferveur et passion, et les autres auront tendance à se rallier à vous. Pour bien des gens, faire partie d'un projet excitant et dynamique est une récompense en soi. Cela dit, vous motiverez et inspirerez encore plus vos collaborateurs si vous soulignez régulièrement leurs contributions. Remerciez-les quand ils s'acquittent avec succès d'une tâche spécifique. Chantez leurs louanges en public ! Vous générerez ainsi énormément d'énergie et d'enthousiasme au sein de vos troupes.

Tenez une liste des personnes que vous devez féliciter de leur travail ou remercier de leur appui. Fixez le jour ou l'heure à laquelle vous les contacterez, soit en personne, soit par courriel ou par téléphone.

Manquer l'opportunité est la façon la plus sûre de manquer la réussite.

VICTOR CHARLES

Une fois que l'on a une vision claire de ce que l'on veut accomplir, notre travail ne fait que commencer.

Dès qu'on partage notre vision avec d'autres personnes, on met en branle les rouages du destin. Du coup, tout peut arriver. Des opportunités inattendues se présenteront à nous, mais encore faut-il savoir s'en saisir. Gardez l'œil ouvert. Lisez entre les lignes quand les gens vous parlent. Sachez reconnaître les signes qui vous disent d'aller dans telle ou telle direction. Et ne manquez jamais une chance de créer une opportunité.

Ajoutez constamment de nouveaux noms à votre liste de contacts. Contactez des gens que vous ne connaissez pas, mais que vous voudriez connaître. Assistez à des réunions, à des conférences ou à des classes pouvant rassembler des gens qui pensent comme vous. Lisez. Abonnez-vous aux revues techniques et professionnelles des domaines qui vous intéressent. Mettez-vous en bonne position et dans le bon état d'esprit pour reconnaître une opportunité quand elle se présente.

Impliquez-vous dans une association professionnelle. Joignez-vous à un comité. Faites du bénévolat pour des projets spéciaux. Quoi que vous fassiez, impliquez-vous sérieusement ; votre engagement ne doit pas se limiter à une simple réunion mensuelle.

Bien des obstacles qui ne peuvent être surmontés quand ils sont pris ensemble s'estompent quand ils sont pris un à un.

SERTORIUS

Certains des problèmes auxquels la race humaine fait face semblent insurmontables. Ces problèmes sont si complexes qu'on serait porté à croire qu'un individu ne peut contribuer à lui seul à leur résolution. C'est faux. Vous pouvez au contraire avoir un impact significatif sur ces choses. Même que votre leadership peut jouer un rôle crucial dans les enjeux de la planète.

Votre véritable ennemi, c'est le défaitisme. Bien des gens ont le réflexe de baisser les bras lorsqu'ils sont confrontés à des problèmes d'envergure, alors qu'ils devraient plutôt relever leurs manches et mettre la main à la pâte. Au cours de notre bref séjour sur Terre, nous avons la responsabilité de léguer aux générations futures un monde décent et sécuritaire. Agissez maintenant pour que vos enfants n'aient pas à payer le prix de votre négligence.

Reconnaissez l'impact de votre entreprise sur les problèmes planétaires. Polluez-vous ? Exploitez-vous votre main-d'œuvre ? Saisissez-vous toutes les opportunités que vous avez de bâtir un monde meilleur ? Responsabilisez-vous face à ces choses. Agissez avec droiture et dans l'intérêt de tous.

SEMAINE 40

Le crocodile ne mange pas l'oiseau qui lui nettoie les dents.
Il mange les autres oiseaux, mais pas celui-là.

LINDA HOGAN

Quelles sont les personnes qui œuvrent en périphérie de votre organisation et qui vous fournissent les services dont vous avez besoin ? Que faites-vous pour rendre véritablement symbiotiques vos relations avec ces gens ?

Absorbés comme nous le sommes par notre travail, nous avons parfois tendance à négliger les gens qui nous aident et nous appuient en nous fournissant des services. Ne faites pas cette erreur, sinon vous vous rendrez vite compte à quel point il est difficile et coûteux de remplacer ces individus qui vous sont essentiels. Préservez ces relations en étant aussi loyaux envers ces personnes qu'elles le sont envers vous. Protégez-les quand on les attaque. Épaulez-les et respectez-les. Informez-vous de leurs objectifs et aidez-les à les atteindre. Ils s'occupent de vous, or, le moins que vous puissiez faire est de vous occuper d'eux en retour.

Identifiez, dans votre chaîne de commandement, les personnes qui s'occupent de régler vos problèmes les plus épineux. Exprimez-leur votre gratitude en termes spécifiques et demandez-leur ce que vous pouvez faire pour leur rendre la pareille. Une telle promesse de réciprocité contribuera bien souvent à solidifier davantage la relation.

L'énergie est le moteur de l'être humain. Étant une faculté psychique, elle n'est pas épuisée, mais maintenue par l'activité.

GERMAINE GREER

L'énergie est une chose étrange. Il y a des moments où on en a trop et d'autres où on n'en a pas assez. Quand on en a, on peut accomplir à peu près n'importe quoi ; quand elle nous manque, même les objectifs les plus modestes nous semblent hors de portée.

Avez-vous remarqué qu'il y a un lien entre votre niveau d'énergie et l'enthousiasme que vous ressentez face à une activité donnée ? Plus une activité vous plaît et plus vous avez d'énergie pour la faire, n'est-il pas vrai ?

Il y a deux choses que vous pouvez faire pour mieux contrôler votre niveau d'énergie. Premièrement, prenez davantage de plaisir à faire les tâches qui vous ennuient et dites-vous qu'elles vous donnent la chance de vous rapprocher de votre objectif ; changez légèrement votre état d'esprit et vous aurez l'enthousiasme et l'énergie nécessaires pour vous atteler aux corvées les plus rébarbatives. Deuxièmement, travaillez à la réalisation de vos propres rêves, et non à l'accomplissement de ceux des autres.

Mettez vos rêves à l'épreuve. Votre vision d'avenir vous enthousiasme-t-elle vraiment ? Vos espoirs, votre optimisme vous permettent-ils de triompher des pires obstacles ? Si ce n'est pas le cas, que comptez-vous faire pour rectifier la chose ?

Ne jugez pas une journée par sa récolte, mais par les graines qu'elle vous permet de semer.

ROBERT LOUIS STEVENSON

Le confort favorise la complaisance. On considère souvent le succès comme un apogée, mais en vérité on ne doit pas s'arrêter simplement parce qu'on est arrivé au sommet. Notre périple se poursuit après chaque réussite.

Les gens les plus heureux sont ceux qui évoluent constamment et qui visent une croissance continue tant dans leur vie privée que professionnelle. Ces gens-là voient la vie comme un processus évolutif et non comme une finalité.

Continuez d'avancer sur la voie que vous vous êtes tracée. Consacrez-vous à des projets qui en valent la peine. Ce n'est qu'alors que vous vous sentirez pleinement satisfait et heureux.

Identifiez les aspects de votre vie qui vous semblent stagnants. Fixez-vous de nouveaux objectifs pour remettre les choses en marche et stimuler votre croissance personnelle.

Les révolutions ne sont pas des mouvements vers l'arrière.

RALPH WALDO EMERSON

Nous sommes aujourd'hui de plus en plus conscients du lien qui unit les êtres humains entre eux et de celui qui nous lie à notre environnement. Ce nouveau niveau de conscience a des répercussions sur le monde des affaires.

Un leader doit désormais prendre des décisions qui ont une résonance sur le plan humain, écologique et éthique. Les droits humains et civils, la cupidité et la corruption des gouvernements et des corporations, la criminalité, la pollution et son impact sur la santé sont des considérations que le leader moderne ne peut ignorer. La vie semblait peut-être plus simple avant qu'il n'y ait cette nécessité de conscientisation et de responsabilisation, mais on ne peut malheureusement pas revenir en arrière. Ce mouvement ne se résorbera pas; il faut faire avec.

Acceptez les défis que vous lancent ces nouveaux enjeux. Faites en sorte que votre travail et vos actions témoignent d'une conscience sociale. Sachez distinguer le bien du mal et dirigez votre entreprise en conséquence. Mettez de l'avant des valeurs qui transformeront pour le mieux le monde des affaires.

Visez une conscientisation de votre entreprise. Incitez vos travailleurs à utiliser le transport en commun. Mettez en place une politique d'égalité en emploi. Ne faites pas affaire avec des compagnies ou des pays qui ne donnent pas à leur main-d'œuvre des conditions de travail équitables. Chaque petite chose que vous faites compte.

Quand un individu n'aime pas ses supérieurs, que cela ne transpire pas dans la façon dont il traite ses subalternes.

TSANG SIN

La vie est faite de cycles qui se répètent. La nature humaine est ainsi faite que nous reproduisons les comportements, bons ou mauvais, des personnes qui sont ou ont été des symboles d'autorité dans notre vie.

Quelles valeurs et quelles pratiques avez-vous héritées des leaders que vous avez connus ? Ces comportements acquis n'ont sans doute pas tous leur mérite puisque certains vous viennent de patrons que vous admiriez, alors que d'autres sont le patrimoine de supérieurs exécrables que vous ne respectiez pas. Ne répétez pas les comportements destructeurs ou abusifs dont vous avez été témoin, et ce, même si ces comportements sont susceptibles de produire des résultats à court terme. Vous constateriez tôt ou tard que le prix à payer pour ce genre de leadership est beaucoup trop élevé. Imitez plutôt les leaders que vous avez respectés. Ce sont leurs comportements que vous voulez ancrer en vous.

Dressez la liste des leaders que vous avez admirés et respectés, puis celle de ceux qui vous ont bafoué ou maltraité. Si les gens que vous dirigez rédigeaient des listes similaires, sur laquelle figureriez-vous ?

Le succès est devenu la lobotomie de mon passé.

NORMAN MAILER

Tout au long de votre vie, différentes personnes ont influencé votre personnalité, votre style, vos valeurs et vos convictions. C'est en partie grâce à elles que vous avez réussi.

Au fur et à mesure que notre carrière prend son essor, nous avons tendance à perdre contact avec les personnes qui ont exercé sur nous une influence déterminante. Le temps fait son œuvre et nous éloigne de ces gens, mais nous ne devons pas les oublier pour autant. Trouvez des façons de leur manifester votre gratitude – même une petite attention leur fera chaud au cœur! N'oubliez pas que ces personnes sont votre lien avec le passé, un passé qui a contribué à former ce présent dans lequel vous vivez.

Remerciez les membres de votre famille qui vous appuient depuis des années. Écrivez à un ancien professeur qui vous a aidé à trouver votre vocation. Téléphonez à un ami qui vous manque. Prenez l'habitude d'exprimer votre reconnaissance aux gens que vous avez perdus de vue.

Savoir où mener les gens et les convaincre de vous suivre sont deux choses bien différentes.

DOUGLAS H. EVERETT

Les individus que vous dirigez peuvent vous aider à atteindre vos objectifs d'une multitude de façons, mais ils peuvent aussi saboter vos efforts dans le temps de le dire. C'est pourquoi il est crucial que vous vous entouriez de gens loyaux.

La meilleure façon de vous assurer de la loyauté des autres, c'est d'être vous-même loyal. Faites savoir aux personnes auxquelles vous vous fiez que vous serez là quand elles auront besoin de vous. Vous comptez sur leur appui, alors appuyez de votre côté leur croissance et leur développement. Demandez-leur quels sont leurs buts dans la vie, quelle est leur vision. N'oubliez jamais qu'ils seront là pour vous tant et aussi longtemps que vous serez là pour eux. Un salaire équitable est un facteur important qui vous assurera une certaine mesure de loyauté de la part de vos travailleurs et collaborateurs, mais ceux-ci ne vous seront entièrement dévoués que si vous veillez aussi à leur bien-être spirituel.

Assistez aux événements importants dans la vie de vos collaborateurs – cérémonies de remise des diplômes ou spectacles scolaires de leurs enfants, anniversaires, galas d'associations professionnelles où ils sont honorés, etc. Les intéressés seront très touchés, surtout s'ils ne s'attendaient pas à ce que vous soyez là. En manifestant ainsi votre loyauté en dehors du milieu de travail, vous exprimerez toute la mesure de votre engagement envers vos collaborateurs.

Le pouvoir ne se donne pas, il se prend. Cette simple prise de possession est valorisante en soi.

GLORIA STEINEM

Personne ne vous remettra le pouvoir sur un plateau d'argent. Votre organisation vous donnera un titre, vous élèvera jusqu'à un certain poste et vous donnera l'opportunité de développer votre autorité, mais pour que tout cela ait un sens il faut que vous fassiez quelque chose avec les atouts que l'on met dans votre jeu. Le monde est rempli de gens qui ont des titres prestigieux, mais peu d'influence. À l'opposé, il y a des gens puissants qui n'ont pas de titres et n'occupent pas un poste de leadership.

Le pouvoir est là, à portée de main ; il suffit que vous ayez le courage de vous en saisir. Prenez-le, sans crainte, avec assurance. Soyez prêt à vous affirmer et à prendre des risques pour les choses en lesquelles vous croyez. Ayez la force, le courage et la lucidité d'assumer pleinement votre rôle de leader.

Faites l'inventaire des choses qui doivent être changées, mais que vous n'avez pas changées bien que vous en ayez la capacité. Essayez de comprendre pourquoi vous avez évité ces problèmes. Avez-vous maintenant le courage d'agir ?

Poursuivez votre route et vous ferez peut-être par hasard une grande découverte. Personne n'a jamais découvert quoi que ce soit en restant assis.

CHARLES F. KETTERING

La route qui mène à la réussite est longue, tortueuse et jonchée d'obstacles qui nous donnent envie de rebrousser chemin. Celui qui veut pleinement réaliser ses rêves doit poursuivre sa route courageusement en dépit de ces obstacles.

Les obstacles ont cela de fâcheux qu'ils nous bloquent la vue et nous empêchent de voir ce qu'il y a de l'autre côté. Aveuglés de la sorte, nous perdons de vue ces rêves que l'on voyait pourtant si clairement auparavant.

Chaque route a ses ornières et ses cahots. Continuez d'avancer, confiant que vous trouverez le moyen d'enjamber ou de contourner les obstacles qui se dresseront devant vous.

Avant de s'attaquer à un obstacle, il faut parfois prendre du recul afin de pouvoir évaluer la situation dans son contexte global. Vous serez ensuite plus apte à déterminer si vous devez emprunter une voie différente.

Une petite rébellion de temps en temps, c'est comme un orage qui purifie l'atmosphère.

THOMAS JEFFERSON

Un individu doit être doté d'un ego très fort pour être capable de persuader les autres de le suivre. Cela dit, quand on a un gros ego, on ne voit pas toujours les signaux que les autres nous transmettent pour nous signaler que notre comportement est inadéquat.

Votre ego peut vous rendre sourd aux désirs et aux besoins des autres. Il peut vous pousser à être injuste malgré vous et vous rendre si imbu de vous-même ou si absorbé par votre travail que vous en négligerez les êtres qui vous sont les plus chers. Si vous demeurez sourd aux petits indices que vous transmet votre entourage, les gens finiront par employer les grands moyens, et alors attention, car ça risque de faire très mal.

Ne punissez pas les gens quand ils se rebiffent. Soyez réceptif. Écoutez-les attentivement, car leur intervention est sans doute porteuse d'un message important. Il en va peut-être de votre survie. Personne ne se rebelle pour rien. Changez d'optique ou de comportement au besoin pour préserver l'intégrité de votre projet.

Votre passion deviendra pour vous un handicap dès l'instant où les gens la percevront comme une obsession. Laissez les autres s'exprimer quant à la direction et aux activités de l'entreprise. Il y a de fortes chances que vous perdiez votre auditoire si vous monopolisez la conversation.

Tu dois vivre dans le présent, te lancer au-devant de chaque vague, trouver ton éternité en chaque instant.

HENRY DAVID THOREAU

Ne soyez pas obnubilé par votre désir de réussir au point de ne plus vivre que pour vos ambitions. D'autres aspects de votre vie méritent aussi votre attention.

L'avenir risque de vous réserver de mauvaises surprises si vous vous concentrez sur votre objectif au point d'en oublier de savourer l'instant présent. Songez en particulier à votre famille. Chérissez les êtres qui vous sont chers. S'ils n'apprennent pas à vous connaître pendant que vous pourchassez vos rêves, vous demeurerez pour eux un éternel étranger, peu importe que vous réussissiez ou non. Bien que vous puissiez faire des projets d'avenir, vous ne pouvez pas prévoir les événements fortuits qui peuvent changer votre vie. Qui sait si vous vivrez pour voir vos rêves se réaliser? Du moment que vous vivez pleinement l'instant présent, vous ne vous inquiéterez pas trop de ce que l'avenir vous réserve. Savourez les petites joies et les petits bonheurs. Ne dit-on pas que le périple importe plus que la destination?

N'attendez pas les occasions spéciales pour passer du temps avec votre famille. Au contraire, c'est vous qui devez faire en sorte que le temps que vous passez avec eux soit spécial.

Il vaut mieux faire partie d'une grande totalité que d'être la totalité d'une petite partie.

FREDERICK DOUGLASS

Voyez-vous grand? Je vous demande cela, car il est vrai que l'inverse est rassurant: le succès vient plus rapidement et plus aisément quand on pense petit. Faites bien attention, car si vos objectifs manquent d'envergure, vous finirez par regretter de n'avoir pas fait davantage.

Vous avez la capacité de réaliser vos rêves les plus ambitieux et, ce faisant, de contribuer au bien-être des individus et de la société. Vous ne pouvez évidemment pas résoudre tous les problèmes de la Terre, néanmoins vous avez la capacité de changer les choses et de toucher la vie de bien des gens.

Consacrez-vous à de grands projets. Donnez de votre temps, même à petites doses, et mettez vos talents à contribution. Songez au type d'héritage que vous voudriez léguer aux générations futures.

Chacun a les limites qu'il s'impose.

RICHARD BACH

Vos plans ont un million de raisons d'échouer. Il y a tant de variables, tant de choses qui jouent contre nous à tout moment qu'on en vient à se demander comment on arrive à accomplir quoi que ce soit. Les gens qui réussissent parviennent à réaliser leurs rêves parce qu'ils refusent de sombrer dans le négativisme.

Se dire incapable de faire une chose, c'est se saboter soi-même. Si vous pensez ainsi, votre subconscient fera le nécessaire pour que vous échouiez. Il est normal de douter de soi-même, mais pas au point de tout foutre en l'air ! À compter de maintenant, au lieu de vous imposer des limites, donnez-vous des possibilités.

Portez une attention particulière à votre discours. Efforcez-vous de ne plus employer des expressions comme « je ne peux pas », « je ne devrais pas », « c'est impossible » ou « je ne suis pas capable ».

Après une dure journée de travail, ma seule préoccupation était de rentrer à la maison.

ROSA PARKS

S'il est avantageux d'avoir des objectifs ambitieux, il n'en va pas nécessairement de même de vos motivations. Un motif tout simple peut parfois mener à une avalanche de changements. Ce qui vous motive à agir peut être aussi simple que la nécessité de gagner du temps ou de l'argent, ou aussi grandiose que le désir de se réinventer soi-même.

Quelle que soit votre vision, souvenez-vous toujours des raisons pour lesquelles vous l'avez créée. Ces motifs sont le ciment qui soutient tout l'édifice de vos aspirations ; ce sont eux qui vous donneront la force d'affronter les obstacles et les épreuves que vous rencontrerez en cours de route. Tout devient possible quand on connaît les raisons qui nous poussent à travailler pour concrétiser nos rêves.

Accordez-vous aujourd'hui un moment de réflexion et songez aux raisons pour lesquelles vous travaillez si fort. Vous aurez plus de facilité à prendre des décisions après avoir réfléchi ainsi aux motivations qui sous-tendent vos actions. Ce sont après tout ces motivations qui donnent un sens à votre travail.

L'expérience, ce n'est pas ce qui nous arrive, mais ce que nous faisons avec ce qui nous arrive.

ALDOUS HUXLEY

La vie a ses bons et ses mauvais côtés. Les malheurs sont inévitables même si on se concentre sur les bonnes choses. Nous baignons tantôt dans la joie et la beauté pour plonger l'instant d'après dans une infinie détresse. La vie est ainsi faite et on ne peut rien y faire. On ne peut pas avoir le bon sans le mauvais. La seule chose que l'on peut contrôler, c'est la manière dont on réagit aux choses qui nous font du mal.

Quand la vie nous envoie une épreuve difficile, on peut soit pleurer et se plaindre, soit accepter la chose et en tirer les leçons qui s'imposent. Dans le contexte de la souffrance, on peut s'analyser soi-même afin de mieux comprendre les expériences que l'on a vécues.

La vie vous donnera du bon et du mauvais. Réjouissez-vous des bons moments et profitez de ce que les mauvaises expériences ont à vous apprendre.

Vous pouvez avoir de la peine ou être en colère quand il vous arrive des mauvaises choses, mais évitez de sombrer dans la détresse et la mélancolie. Relevez-vous ! La vie continue ! Remontez la pente avec espoir et optimisme.

N'aimez pas ce que vous êtes, mais ce que vous pouvez devenir.

MIGUEL DE CERVANTÈS

Un leader perd son pouvoir d'action à partir du moment où il se considère satisfait de lui-même et de sa situation. De même, vivre au jour le jour en s'occupant exclusivement des affaires courantes mène à la stagnation. Il est vrai que, quand on a beaucoup à faire, on est tenté de s'occuper uniquement des problèmes qui nécessitent notre attention immédiate. Pourquoi songer à demain quand il y a tant à faire aujourd'hui !

Quand on vit dans l'immédiat, on ne s'occupe pas nécessairement des choses importantes. Bien au contraire, l'immédiat nous détourne généralement de nos tâches et préoccupations les plus importantes. Durant votre journée de travail, ne vous contentez pas de régler quelques petits problèmes et de remplir vos tâches quotidiennes : après avoir vu aux affaires les plus pressantes, attaquez-vous à des problèmes d'importance. C'est ainsi que se construit l'avenir.

Négligez-vous des questions importantes qui concernent l'avenir de votre entreprise ou de la communauté parce que vous ne vous occupez que des problèmes qui sont à l'ordre du jour ? Élevez-vous au-dessus de vos préoccupations immédiates. Prenez le temps de lever les yeux pour jeter un coup d'œil vers l'avenir.

Le cheval qui consent à la charge la plus lourde est aussi celui à qui l'on donne le plus d'avoine.

B. C. FORBES

Un bon leader doit encourager la coopération et la collaboration au sein de ses troupes. Mettez en place un système où les gens sont récompensés quand ils participent activement au processus décisionnel, à l'application des stratégies ou à d'autres activités importantes qui contribuent au succès et à la croissance de votre entreprise. Il est normal que vous offriez certaines compensations aux travailleurs et aux collaborateurs qui assument plus de risques et de responsabilités que les autres. Exigez davantage de vos gens, mais soyez également prêt à leur donner davantage en retour.

Récompensez équitablement vos collaborateurs en compensation de leurs efforts. Mais qui dit récompense ne dit pas nécessairement argent ! La reconnaissance et le renforcement positif sont d'autres façons de montrer que vous appréciez le travail de ceux qui contribuent à votre réussite.

Bénie soit l'influence qu'une âme franche et aimante exerce sur une autre.

George Eliot

Au fil des années, vous avez sans doute bénéficié de l'influence de gens qui vous ont guidé ou vous ont ouvert des portes que vous n'auriez pu ouvrir vous-même. Ces mentors ont laissé sur votre existence une empreinte indélébile. Il en revient maintenant à vous de poursuivre cette noble tradition de leadership. Offrez volontiers votre aide quand on vous la demande. Aidez les individus en qui vous voyez un certain potentiel.

Quand vous aidez les autres, vous leur transmettez une partie de vous-même. Un jour, les gens que vous aidez, inspirés par votre savoir et votre générosité, aideront à leur tour d'autres leaders en herbe. Ainsi, la tradition se perpétuera.

Les opportunités de mentorat ne manquent pas. Vous pouvez toucher la vie d'un tas de gens, que ce soit sur le plan professionnel, communautaire ou familial. À vous de choisir votre champ d'action.

La gratitude est la plus belle fleur qui de l'âme puisse s'épanouir.

HENRY WARD BEECHER

À quand remonte la dernière fois où vous avez offert un cadeau ou écrit un mot doux à votre conjoint ou conjointe ? Avez-vous eu des attentions délicates envers vos enfants récemment ? Avez-vous dernièrement manifesté votre reconnaissance à votre patron, à un collaborateur qui vous a sauvé la mise, à votre mentor, à vos clients ou à l'enseignante favorite de votre enfance ?

Les gens qui vous entourent sont prêts à vous aider et à vous épauler, mais vous devez leur exprimer votre reconnaissance sans quoi il y a de fortes chances qu'ils ne voudront plus vous rendre service. Vous pourrez continuer de compter sur eux si vous leur exprimez votre gratitude avec sincérité. C'est peut-être une façon égoïste de voir les choses, mais le fait est que vous avez besoin des autres pour atteindre vos objectifs. Les gens qui vous aident méritent votre gratitude. Faites-leur savoir à quel point vous appréciez ce qu'ils font pour vous.

Allez acheter des cartes de souhait à la papeterie du coin et écrivez au moins une lettre de remerciement par jour jusqu'à ce que vous ayez contacté ainsi toutes les personnes qui vous ont soutenu et aidé par le passé, mais à qui vous n'aviez pas encore exprimé votre gratitude.

Les peurs que l'on évite finissent toujours par avoir raison de nous.

JAMES BALDWIN

Les gens ont en général très peur de l'antagonisme. Dans la plupart des entreprises, les gens se donnent beaucoup de mal pour éviter les conflits. On parle poliment, mais rarement avec sincérité. Les individus qui sont impliqués dans un même conflit évitent généralement d'en discuter.

Quand on évite la confrontation, toute collaboration devient impossible puisqu'on évite d'aborder ouvertement les vrais problèmes. Attaquez les conflits de front. Mettez-les à l'avant-plan au lieu de les dissimuler ou de les étouffer, car ils ne disparaîtront pas plus qu'ils ne se résoudront d'eux-mêmes. Travaillez ensemble à trouver des solutions efficaces. Une communication franche et ouverte est un élément fondamental d'un bon leadership.

Appliquez les règles de confrontation suivantes avec votre équipe : discutez calmement et de façon objective ; ne jugez pas les autres ; exprimez vos sentiments constructivement ; écoutez les autres attentivement au lieu de planifier vos réponses pendant qu'ils parlent.

Aider quelqu'un qui est tombé à se relever, c'est bien. L'aider à se relever lui-même, c'est encore mieux.

FRANK TYGER

Il est de plus en plus important que les entreprises collaborent avec les gouvernements et les organismes sociaux pour empêcher que les plus défavorisés de nos sociétés soient laissés pour compte.

Vous pouvez élever la conscience sociale de votre organisation en l'impliquant dans des programmes qui fournissent des emplois et de la formation à des personnes dans le besoin. Vous pouvez également vous impliquer plus personnellement en siégeant, bénévolement bien sûr, au conseil d'administration d'un organisme qui offre des services de ce genre. Votre aide sera encore plus appréciée si vous contribuez ainsi sur les deux fronts.

Voyez s'il n'y a pas des tâches ou des projets que vous pourriez confier en sous-traitance à des ateliers protégés ou à des organismes sociaux qui travaillent avec les sans-abri ou dans d'autres milieux défavorisés.

Avec l'âge, le corps dépérit, mais c'est l'âme qui dépérit quand l'enthousiasme nous quitte.

SAMUEL ULLMAN

Quand on étudie les entreprises qui sont des modèles de croissance et de prospérité, on s'aperçoit qu'elles sont gérées dans la plupart des cas par des individus extrêmement motivés. Tout ce que ces gens font, ils le font avec énergie. L'une des principales aptitudes que ces entreprises recherchent chez leurs candidats, c'est la capacité – et la volonté – de travailler en équipe. L'expérience de travail est importante, mais elle doit être accompagnée d'un enthousiasme et d'une passion manifeste envers la mission de l'organisation. Les leaders visionnaires recherchent activement ce genre de collaborateurs et s'arrangent pour les garder une fois qu'ils sont à leur emploi – il s'agit même là d'une de leurs priorités.

Pour attirer ce genre de personne au sein de votre entreprise, vous devez vous-même être enthousiaste. Votre attitude est contagieuse. Votre vision doit être tangible et excitante. Servez-vous-en pour attirer à vous des personnes enthousiastes et passionnées, puis veillez ensuite à les soutenir et à les encourager. En plus de contribuer à l'avancement de vos projets, ces individus créeront dans votre organisation un climat de travail agréable et stimulant.

Ne faites pas semblant d'être enthousiaste quand le cœur n'y est pas, car les gens qui vous entourent ne seront pas dupes. Dans les moments difficiles, concentrez-vous sur les valeurs et les idéaux qui vous ont amené à faire le travail que vous faites.

À chaque désavantage correspond un avantage.

W. CLEMENT STONE

Dans le monde des affaires, il y a une pratique courante qui consiste à trouver toutes les raisons qui font qu'une idée ne fonctionnera pas – c'est ce qu'on appelle une « analyse ». Dans la vie, nous apprenons très tôt à analyser les choses. Nous mettons cette faculté en pratique lorsque nous réagissons aux suggestions par deux mots qui sont très préjudiciables au processus créatif : « Oui, mais... »

Cette simple phrase a le pouvoir de stopper net une discussion animée et de tuer une bonne idée dans l'œuf. Éliminez cette expression de votre vocabulaire... et votre vie s'en trouvera changée ! Remplacez-la par : « Oui, et... » Instaurez un processus opérationnel qui force les gens à se pencher sur les possibilités qu'offre un nouveau concept avant de se préoccuper des raisons qui font qu'il ne fonctionnera pas.

Lorsque vous convoquez une réunion qui a pour but d'échanger des idées et de trouver des solutions, désignez des personnes qui auront pour fonction de s'assurer qu'on donne aux idées leur chance avant de se pencher sur leurs lacunes.

L'avenir appartient à ceux qui croient en la beauté de leurs rêves.

ELEANOR ROOSEVELT

Vos rêves sont à la base de tout ce que vous faites. Avant de commencer à construire l'avenir que l'on désire, il faut d'abord croire que ce qu'on imagine est réalisable. Il faut ensuite inspirer d'autres personnes à croire en notre rêve, car on a besoin de l'aide des autres pour le réaliser.

Intéressez-vous aux aspirations des gens qui vous entourent. Encouragez-les à croire en leurs rêves et à les mettre en œuvre. Trouvez les points communs qu'il y a entre vos aspirations et celles de vos collaborateurs, puis travaillez ensemble là où vos besoins et vos désirs coïncident.

Accordez-vous chaque semaine un moment pour rêver. Trouvez un endroit tranquille où vous pourrez réfléchir un instant aux grands projets que vous caressez. Ces périodes de réflexion seront encore plus efficaces si vous écrivez ensuite vos pensées dans un cahier réservé à cet effet.

Je donne toujours le meilleur de moi-même, et je continuerai jusqu'au bout de faire ainsi.

ABRAHAM LINCOLN

On peut échouer même après avoir donné son maximum. Un échec est parfois dû à des facteurs et à des circonstances indépendantes de notre volonté. L'important est de ne jamais échouer par manque d'application ou de ténacité.

Votre réputation et votre estime de vous-même en prendront un sérieux coup si vous échouez parce que vous n'avez pas donné tout ce que vous pouviez au vu des circonstances et des ressources dont vous disposiez. Bien que personne ne puisse vous demander de faire plus que ce dont vous êtes capable, vous vous devez à vous-même de donner rien de moins que votre cent pour cent. Cela dit, si la victoire s'avère impossible bien que vous ayez donné le meilleur de vous-même, sachez quand abandonner la partie. Ne perdez pas votre temps et votre talent à pourchasser des objectifs inatteignables ou à vous acharner sur des tâches que vous ne pouvez pas mener à bien.

Acceptez vos échecs, mais arrangez-vous pour qu'ils vous soient profitables. N'hésitez pas à discuter avec d'autres des leçons que vous avez tirées de ces expériences.

Pour réussir en affaires, il faut oser être un pionnier, il faut oser être différent.

HENRY MARCHANT

Qu'est-ce qui vous distingue de vos compétiteurs? Que faites-vous pour vous démarquer? Ce sont là des questions que vous devez constamment vous poser par rapport à votre entreprise, à ses produits et services, mais aussi par rapport à vous-même. Nous vivons aujourd'hui dans un monde hyper compétitif. Qui plus est, nous disposons de technologies qui nous permettent de copier une nouvelle idée quasi instantanément. Pour rester performant, vous devez élaborer une stratégie qui vous permettra de vous démarquer, tant par le rapport qualité-prix de vos produits que par la façon dont vous livrez vos services au client. N'ayez pas peur d'innover. Prenez des risques.

Ne vous contentez pas de copier quelqu'un d'autre. Trouvez des façons de rectifier vos problèmes existants; modifiez et améliorez les solutions qui ont fait leurs preuves. L'important est que vous cherchiez constamment à augmenter la valeur de vos produits et services par des moyens qui vous permettront de vous démarquer de vos compétiteurs.

Restez compétitif en utilisant la méthode SCAMMPERR, qui vous permettra de générer des idées et des solutions de façon systématique. SCAMMPERR est une anagramme qui fait référence aux procédés suivants: substituer; combiner; adapter; magnifier; modifier; produire; éliminer; réorganiser; renverser.

Nos préoccupations doivent nous pousser à l'action et non nous plonger dans la dépression.

KAREN HORNEY

L'actualité est parfois très troublante. L'économie est toujours sens dessus dessous. Des enfants crèvent de faim chaque jour. La guerre sévit partout. Des millions de gens sont sans abri. La forêt tropicale continue d'être décimée.

Le meilleur antidote à la détresse ambiante, c'est de s'impliquer pour changer les choses. L'action allège l'anxiété que l'on ressent face à l'état du monde. Concentrez-vous sur ce que vous pouvez faire, sachant qu'une personne dévouée peut faire toute la différence. Par votre exemple et votre contribution, vous pouvez aider à changer le monde. Tout n'est pas perdu.

Ne sous-estimez pas la valeur des gestes, même modestes, que vous pouvez poser pour aider une personne dans le besoin. Songez que votre bonté et vos bonnes intentions peuvent faire boule de neige.

La patience est amère, mais son fruit est doux.

LIDA CLARKSON

La patience est l'une des vertus les plus difficiles à apprendre. Une chose est certaine, c'est qu'elle ne fait pas partie du profil de personnalité typique des leaders ambitieux. Agir à l'encontre de nos désirs innés exige un certain conditionnement, sans parler de raisonnement. En certaines circonstances, il vous faudra relaxer et attendre que les choses suivent leur cours. Vous avez la capacité de mettre bien des projets en branle, cependant des forces indépendantes de votre volonté influencent le temps que cela prend pour mener ces projets à bien.

Exercez-vous à la patience. Relaxez tout en guettant le moment opportun. Au bout du compte, vous verrez que cela valait la peine d'attendre.

Apprenez à reconnaître les succès obtenus à chacune des étapes de la réalisation d'un projet. Continuez de poursuivre vos rêves les plus ambitieux, mais en appréciant chaque pas que vous faites dans la bonne direction.

La plénitude de la vie réside en ses embûches. Dans les pires moments, quelque chose en nous peut changer la défaite en victoire.

EDITH HAMILTON

Il faut du courage pour exercer quelque forme de leadership que ce soit. Certaines personnes prisent les situations périlleuses qui les obligent à plonger dans le vide; d'autres n'aiment pas le sentiment d'impuissance et d'incertitude qu'elles procurent – ces personnes sont plus à l'aise quand elles maîtrisent la situation. Quand on doit prendre une décision importante, on se sent parfois comme le skieur novice qui se retrouve au sommet d'une pente pour la première fois. S'il prend le risque de s'élancer, il goûtera l'ivresse de la vitesse, du vent qui siffle dans ses oreilles, de l'adrénaline coulant dans ses veines, et il se sentira à la fois fier et heureux d'avoir relevé ce défi.

Le moment le plus difficile quand on doit agir ou prendre une décision, c'est l'instant juste avant de plonger. Souvenez-vous de cela la prochaine fois que vous devez faire quelque chose qui vous fait peur. Vous verrez que dès que l'on commence à bouger, la peur s'estompe pour faire place à une délicieuse exaltation.

Vous ne pouvez pas attendre que tous les feux soient verts sur votre route pour commencer votre périple. Mettez vos projets en branle immédiatement. Vous avez géré des situations difficiles avec succès par le passé, de même, vous saurez gérer les embûches que l'avenir vous réserve.

Il est plus aisé de juger de l'esprit d'un homme par ses questions que par ses réponses.

VOLTAIRE

Quand on a besoin d'aide, il y a toujours des tas de gens qui sont prêts à nous porter conseil. Cela ne veut pas dire que ce sont tous de bons conseillers.

Qu'est-ce au fait qu'un bon conseiller? C'est quelqu'un qui pose des questions avant de donner son avis. De façon générale, considérez les opinions émises trop rapidement comme étant suspectes. On ne peut livrer une opinion éclairée que lorsqu'on connaît le contexte, les circonstances et les motivations de la personne qui nous demande notre avis. Et pour connaître le contexte, on doit nécessairement écouter l'autre et lui poser des questions.

Lorsque vous posez des questions ou y répondez, faites-le franchement et ouvertement. C'est le seul moyen d'obtenir ou d'émettre ensuite une opinion valable. Si vous trouvez dans votre entourage une personne de confiance susceptible de devenir votre conseiller, cultivez activement la relation que vous entretenez avec elle.

Cherchez conseil auprès de gens qui vous amènent à vous questionner au lieu de vous donner des réponses toutes faites. Plutôt que de vous imposer leurs vues, ces personnes vous aideront à forger votre propre opinion.

SEMAINE 46

Si vous voulez qu'on reconnaisse vos mérites, reconnaissez d'abord ceux des autres.

PROVERBE ASIATIQUE

La plupart des gens veulent que leurs accomplissements soient reconnus. C'est un besoin qui apparaît dans l'enfance et perdure tout au long de notre vie.

Certains chefs d'entreprise estiment qu'ils n'ont pas à reconnaître les efforts des gens qu'ils dirigent sous prétexte que ceux-ci ne font que faire le travail pour lequel ils ont été engagés. Les leaders qui pensent ainsi sont dans l'erreur. Vous devez au contraire saisir toutes les occasions de reconnaître et de souligner le travail bien fait – et surtout, ne vous attribuez pas le mérite du travail de quelqu'un d'autre ! Vos gens seront si heureux que vous estimiez leur travail qu'ils n'hésiteront pas à chanter vos louanges quand l'occasion se présentera.

Trouvez des façons sincères de louanger les gens. Tenez compte du fait que différentes personnes aiment être reconnues ou récompensées différemment. Procédez de la façon la plus adéquate pour chacun.

Il faut parfois regarder la réalité en face pour la renier ensuite.

GARRISON KEILLOR

Quand une idée nous vient à l'esprit, on trouve tout de suite un million de raisons qui font qu'elle ne fonctionnera pas. Votre gérant de banque se mettra de la partie pour essayer de vous dissuader. Les économistes vous diront que la conjoncture ne vous est pas propice. Les discours des politiciens vous plongeront dans le doute et l'incertitude.

Il y a bien sûr du vrai dans ce que ces gens disent. L'actualité est désespérante et ne laisse présager rien de bon. Cela ne veut pas dire que vous devez accepter cet état de choses. Vos chances de réussite dépendent autant de votre attitude que des circonstances environnantes. Selon les lois de la physique, un bourdon ne devrait pas être en mesure de voler. Essayez d'expliquer ça au bourdon! La morale de cette histoire est que vous ne devez pas permettre aux circonstances de dicter vos aspirations.

Élaborez votre plan soigneusement, avec diligence. Une fois que vous vous sentirez prêt à prendre votre essor, déployez vos ailes et allez-y!

Les cimetières sont pleins d'hommes indispensables.

CHARLES DE GAULLE

D'un point de vue psychologique, il est difficile de s'accorder du temps pour relaxer quand il y a beaucoup de boulot à abattre. Certaines personnes craignent qu'en leur absence, leurs confrères et consœurs de travail en viennent à conclure qu'elles ne sont pas indispensables. D'autres encore croient vraiment que tout va s'écrouler s'ils ne sont pas là.

Sur son lit de mort, personne n'a jamais dit comme dernières paroles: «Je regrette de n'avoir pas travaillé plus.» Accordez-vous des temps libres. Créez un environnement de travail où les gens fonctionnent à leur plein rendement sans que vous ayez à les superviser constamment. L'idéal, c'est que vous puissiez vous éclipser de temps en temps sans que cela change quoi que ce soit. Retirez-vous parfois dans un coin tranquille quand vous êtes au travail, soit pour relaxer ou pour réfléchir à vos projets et à vos stratégies.

Accordez-vous une petite pause. Votre entreprise ne se volatilisera pas en votre absence.

Formez des gens qui puissent prendre la relève en votre absence. Les programmes de développement de ce genre seront bénéfiques à vos employés et ils vous permettront d'alléger le fardeau de vos responsabilités.

Nous vivons dans un monde merveilleux, rempli de beauté, de charme et d'aventure. Nous pouvons vivre un nombre infini d'aventures si nous gardons les yeux grands ouverts.

JAWAHARLAL NEHRU

À quand remonte la dernière fois où vous avez vécu une aventure ? Bien des gens réservent leur esprit aventureux aux vacances ; ils voient les aventures comme des expériences exceptionnelles que l'on ne doit vivre que quelques jours par année, lorsqu'on a le cœur à la témérité. En vérité, on a chaque jour accès à toutes sortes d'aventures potentielles, grandes et petites. Il suffit de savoir où regarder.

Entamez une conversation avec une personne à qui vous n'avez jamais parlé. Essayez un plat auquel vous n'avez jamais goûté. Empruntez un chemin différent pour vous rendre au travail et découvrez un secteur de la ville qui vous est inconnu. Inscrivez-vous à une activité que vous n'avez jamais pratiquée. Organisez un voyage vers une destination exotique dont vous avez toujours rêvé. La variété rend la vie plus stimulante et enrichissante.

Promettez-vous de faire au moins une nouvelle chose par jour. Cette nouvelle découverte ou activité stimulera vos sens et vous fera voir la vie sous un jour différent.

Les larmes et la sueur sont toutes deux salées, mais elles produisent des résultats différents : les larmes attisent la sympathie d'autrui ; la sueur, elle, permet de changer les choses.

JESSE JACKSON

Ne passez pas vos journées à geindre, à vous plaindre ou à blâmer les autres. Non seulement ce genre de comportement est-il improductif, il vous fera perdre beaucoup de temps et d'énergie.

Il est parfois tentant de se lamenter des problèmes qui nous assaillent ou de pointer du doigt les gens qui nous mettent des bâtons dans les roues, mais le fait est que les membres de votre équipe et vous ne vous sentirez pas mieux tant que vous ne vous emploierez pas à trouver des solutions à vos problèmes. Passez à l'action, même si cela vous demande un effort supplémentaire. La seule façon de guérir un mal, c'est de trouver le remède.

Fixez-vous des objectifs concrets pour les choses dont vous vous plaignez. N'acceptez d'entendre les griefs des gens que vous dirigez que s'ils proposent aussi des solutions potentielles.

Il faut du courage pour prendre position.

SHIRLEY CHISHOLM

Notre entourage fait parfois pression sur nous pour que nous « assouplissions » nos valeurs et nos convictions. En certaines occasions, on vous promettra une récompense si vous consentez – une promotion, un nouveau poste, etc. –, néanmoins vous devez vous battre pour ce que vous croyez juste, même si cela crée des remous. C'est la seule façon d'avoir la conscience tranquille.

Les gens qui contribuent à la société de façon significative sont invariablement ceux qui ont le courage de leurs convictions. Dénoncez le mal et l'injustice, mais surtout, agissez pour rectifier la situation. Préservez votre intégrité en restant fidèle à vos valeurs même dans les moments où il serait plus facile et profitable pour vous de plier ou de fermer les yeux.

Constituez une communauté d'individus qui partagent vos valeurs. Puisez votre force dans le nombre.

Pour obtenir ce que l'on veut, il faut d'abord le demander.

ROBERT HALF

De quoi avez-vous besoin pour devenir un leader plus efficace? Avez-vous besoin d'une plus grande coopération au sein de vos effectifs? Avez-vous besoin des conseils d'un mentor? Est-ce le soutien de votre famille qui vous manque? Votre équipe devrait-elle faire plus d'efforts? Quels que soient vos besoins, dites-vous bien que les gens ne peuvent pas lire vos pensées. Même s'il est parfois très difficile pour un leader de demander l'aide des autres, il doit néanmoins s'y résoudre.

Demandez explicitement ce dont vous avez besoin; vous n'arriverez à rien en envoyant des signaux subtils ou en faisant des allusions discrètes dans l'espoir que les gens devineront ce que vous voulez. Les personnes qui vous entourent veulent que vous réussissiez. Qui plus est, elles savent qu'elles ont beaucoup à gagner en contribuant à votre cause. Ayez des exigences raisonnables, mais claires. Vous serez sans doute étonné de voir qu'on vous répondra favorablement.

Par vos actions quotidiennes, montrez aux gens qu'aucune tâche n'est indigne de vous. Ainsi, quand vous demanderez de l'aide, on saura que ce n'est pas parce que vous voulez éviter une corvée, mais parce que vous êtes réellement dans le besoin. En pareil cas, on n'hésitera pas à vous aider.

Rien n'est plus utile à l'action qu'une pensée focalisée combinée à l'énergie de la volonté.

HENRI FRÉDÉRIC AMIEL

Votre capacité à agir pour réaliser votre vision est proportionnelle à l'intensité avec laquelle vous vous concentrez sur des objectifs spécifiques. Vos rêves doivent être suffisamment vastes pour englober toutes les opportunités qui sont à votre disposition et suffisamment inspirants pour que d'autres personnes consentent à se joindre à vous, cela dit, les étapes qui vous mèneront à votre but doivent être définies avec clarté et précision. C'est ici que l'intensité de votre concentration prend tout son sens: parce que vous focalisez votre vision, vous pourrez agir de façon claire, lucide et assumée en vous donnant une direction très précise.

Rendez vos idées globales réalisables en les décomposant en étapes progressives et mesurables. Faites en sorte que ces morceaux du puzzle s'imbriquent clairement dans votre plan d'ensemble.

Si vous pouvez le rêver, vous pouvez le faire.

WALT DISNEY

La capacité d'avoir des rêves et de les réaliser est l'une des caractéristiques par lesquelles l'humain se distingue des autres formes de vie. Chacun de nous a reçu un certain potentiel créatif ; ce don, nous avons la responsabilité de l'utiliser pleinement et à bon escient.

Le leader a aussi la responsabilité d'encourager et d'aider les autres à réaliser leurs rêves. Votre imagination et vos aspirations vous permettent de changer le monde ; faites en sorte que les autres puissent faire leur part eux aussi.

Usez de votre créativité en dehors du travail. Peignez, dessinez, écrivez, sculptez, chantez, bâtissez quelque chose, étudiez la musique, faites du théâtre, etc. L'énergie que vous générerez ainsi enrichira votre vie professionnelle tout autant que votre vie privée.

Les louanges d'autrui et la richesse ne produisent pas de joie véritable ; c'est quand on fait des choses utiles qui ont un sens que l'on ressent une telle joie.

W. T. GRANELL

Arrivé à la fin de votre vie, jugerez-vous votre réussite au montant d'argent que vous avez gagné ? Probablement pas. Ce ne sont pas les grosses affaires que vous avez conclues ou les batailles politiques que vous avez remportées qui vous importeront, mais ce que vous avez fait pour changer le monde et améliorer le sort de vos semblables.

Dans tout ce que vous faites, c'est la noblesse de votre intention qui compte. Aidez-vous quelqu'un par vos actions ? Contribuez-vous à l'élaboration d'un monde meilleur ? Quel exemple donnez-vous à ceux qui vous observent et vous admirent ? Quel genre de conseils leur donnez-vous ? Quelles sont les raisons qui vous poussent à travailler si fort ?

Si vous ne pouvez pas répondre à ces questions avec fierté, il est peut-être temps de changer votre façon de faire. Quoi que vous fassiez, agissez pour le bien de l'humanité.

Même la plus infime contribution compte dans les moments de grande nécessité. Donnez ce que vous pouvez, quand vous le pouvez.

SEMAINE 48

La valeur d'un individu se mesure non pas à son expérience, mais à sa capacité à expérimenter.

GEORGE BERNARD SHAW

L'expérience ne garantit pas l'excellence ou le succès. Savoir ce que quelqu'un a fait dans le passé ne nous informe pas nécessairement quant à ses capacités futures. Le potentiel d'un individu se mesure aussi à son enthousiasme, à ses aptitudes, à son ambition et à ce feu intérieur qui l'anime et que l'on détecte parfois.

Vous aurez parfois à choisir entre une personne expérimentée qui connaît à fond les tâches que vous songez à lui confier et un candidat sans expérience, mais plein de potentiel. Si vous lui donnez sa chance, ce dernier surpassera peut-être de loin vos attentes.

Donnez aux individus prometteurs la chance de s'épanouir. Par sa fougue et son enthousiasme, un candidat inexpérimenté produira peut-être des résultats supérieurs et plus innovateurs que celui qui s'en tient à des méthodes classiques et éprouvées.

Ayez la bonté, la témérité et l'intelligence de donner aux débutants leur chance. Soyez le premier à les aider afin qu'ils puissent s'engager eux aussi sur la voie du succès.

Dans la vie, rien n'est à craindre, tout est à comprendre.

MARIE CURIE

L'inquiétude est une chose débilitante. Il est vrai que la prudence et la prévoyance peuvent nous aider à éviter le danger, mais l'inquiétude est une menace encore plus grande que le danger. Il est important d'anticiper les problèmes, du moment que cela ne nous amène pas à nous inquiéter de choses que nous ne pouvons pas contrôler.

Ce n'est pas en vous tracassant que vous changerez la réalité. Même que la peur que vos inquiétudes génèrent risque de vous paralyser complètement. Quand cela vous arrive, demandez-vous si vous faites tout ce qui est en votre pouvoir pour comprendre et changer la situation. Restez productif. Mettez vos inquiétudes de côté et attelez-vous aux tâches qui doivent être faites. Les peurs issues de l'inquiétude sont généralement sans fondement.

Examinez chaque problème sous tous ses angles, mais sans que cela devienne pour vous un sujet d'inquiétude. Soupesez le pour et le contre, considérez les possibilités, puis agissez résolument.

Ce qui est en apparence un échec peut contenir le germe d'une réussite qui s'épanouira avec le temps et produira des fruits pour l'éternité.

FRANCES ELLEN WATKINS HARPER

Les plans que vous élaborez sont les cartes topographiques qui vous guident sur les sentiers de vos aspirations et vous aident à trouver votre chemin. Mais les cartes sont parfois erronées du fait qu'elles sont la représentation du monde tel que nous le percevons. Or, cette perception peut être inexacte ou limitée.

Tout cela pour dire que vos plans ne vous mèneront pas toujours là où vous voulez aller. Évitez de considérer cela comme un échec. Concentrez-vous sur votre but ultime et vous trouverez d'autres façons d'atteindre votre destination.

Concevez vos plans de manière à éviter les embûches, mais si par malheur un obstacle survient, considérez-le comme une opportunité d'explorer une voie ou une direction autre que celle que vous anticipiez.

Celui qui persévère triomphera.

PROVERBE ITALIEN

Vous parlez aux bonnes personnes. Vous travaillez fort. Vous n'entretenez aucune peur ou appréhension face à vos objectifs. Vous êtes ambitieux, motivé et compétitif. Malgré tout cela, il arrive que les choses n'aillent pas comme vous le voudriez. Vous avez même parfois l'impression que le succès est en train de vous échapper, que la chance que vous attendez ne se manifestera jamais.

Persévérez. Soyez patient. Adaptez-vous aux circonstances. Il est difficile de rester enthousiaste quand les obstacles se multiplient, mais songez que la réussite vous attend, sinon aujourd'hui peut-être demain ou dans une semaine. Il suffit parfois d'un simple coup de fil pour tout changer. Poursuivez votre route en vous concentrant sur le résultat final. Ne soyez pas celui qui abandonne alors qu'il est si près du but.

Faites en sorte que les objectifs que vous n'atteignez pas vous poussent à l'action. Faites chaque jour quelque chose pour montrer aux autres, et pour vous prouver à vous-même, que vous restez fidèle à vos objectifs. Conservez votre vitesse de croisière ; cela vous aidera à traverser la tempête.

La bonté est source de joie ; à son contact, tout n'est que sourire.

WASHINGTON IRVING

Le monde des affaires peut être très dur et impitoyable. Les gens qui en font partie ont tendance à rester sur leurs gardes pour préserver leurs intérêts et se protéger de ceux qui pourraient leur faire du mal. Dans cet univers parfois rébarbatif, les petites attentions et délicatesses revêtent une importance particulière.

Vos collaborateurs ne s'attendront pas à ce que vous changiez du jour au lendemain si vous avez la réputation d'être un leader exigeant qui n'entend pas à rire, alors pourquoi ne pas les étonner en commençant à faire montre de gentillesse à leur endroit. Même si vous payez grassement vos gens pour le travail que vous exigez d'eux, cela ne vous exempte pas de leur prodiguer des attentions délicates de temps à autre. Tout le monde aime sentir qu'il est apprécié, qu'il est spécial.

À partir d'aujourd'hui, employez-vous à faire sourire les gens et à mettre un peu de soleil dans leur journée. Montrez-leur qu'un milieu de travail ne doit pas nécessairement être froid et impersonnel, qu'on peut travailler dur tout en répandant la joie et la bonne humeur autour de soi.

Cuisinez des petites gâteries dont vous régalerez vos confrères et consœurs de travail. Apportez du café à vos collaborateurs lorsque vous faites le tour de vos bureaux. Faites plaisir aux gens en leur prodiguant toutes sortes de petites attentions.

Je préfère avoir affaire à quelqu'un qui m'est désagréable mais qui fait bien son travail plutôt qu'à un incompétent qui déborde de gentillesse à mon endroit.

SAM DONALDSON

Il est très néfaste pour un leader de s'entourer de personnes qui veulent à tout prix éviter les conflits. Ne laissez pas entendre aux autres que le meilleur moyen de vous plaire, c'est d'être d'accord avec vous.

Entourez-vous d'individus dont les talents complètent les vôtres. Formez une équipe de gens qui excellent dans des domaines qui se trouvent en dehors de votre champ de compétences. Vous verrez que c'est très stimulant. Tout en restant aux commandes de vos projets, exigez de vos collaborateurs qu'ils s'expriment quand ils sont en désaccord avec vous et récompensez-les de leur courage. Cette vulnérabilité à laquelle vous consentez renforcera votre leadership et le rendra plus efficace.

Reconnaissez l'expertise des individus dont les compétences surpassent les vôtres et demandez-leur leur avis sur les questions qui concernent leur domaine spécifique.

Je crains parfois que nos vies soient comme des feuilletons télévisés : on ne les écoute pas pendant des mois, puis six mois plus tard on jette un coup d'œil pour se rendre compte qu'on est toujours au même point.

JANE WAGNER

Se concentrer sur l'objectif que l'on veut atteindre est une bonne chose, mais il ne faut pas fonctionner entre-temps sur le pilote automatique. Si vos semaines se suivent et se ressemblent, si elles passent sans que vous vous en rendiez compte ou sans que vous ayez l'impression d'avancer, c'est peut-être que vous avez perdu un peu de votre combativité.

Ne laissez pas le temps vous filer entre les doigts, sinon vous risquez de vous réveiller dans quelques semaines ou quelques mois avec l'impression de n'avoir rien fait, de n'avoir pas avancé. Vous serez alors très déçu de vous-même, surtout si votre manque de vigilance vous a fait rater une bonne occasion de réévaluer votre direction. Le monde des affaires s'apparente bien souvent à une course effrénée, néanmoins il faut parfois prendre du recul pour avoir une vue d'ensemble des choses et pour s'assurer que l'on avance toujours dans la bonne direction.

Ne laissez pas les détails du quotidien vous accaparer au point que vous en perdiez votre esprit critique. Accordez-vous des moments de réflexion pour faire le point.

On fixe parfois pendant si longtemps une porte qui se ferme qu'on ne voit pas celle qui est en train de s'ouvrir.

ALEXANDER GRAHAM BELL

L'entêtement est un défaut commun à bien des leaders. Pour être un bon leader, vous devez vous sentir capable de changer le monde simplement par la force de votre volonté, mais vous devez aussi être capable d'abandonner une méthode ou une idée qui a fait son temps.

Restez à l'affût des idées nouvelles et des façons de faire qui sont meilleures que celles que vous employez. Pourchassez votre vision avec opiniâtreté, mais tout en sachant que les opportunités ne se valent pas toutes; ayez le courage et la lucidité de laisser tomber celles qui s'avèrent moins prometteuses que vous ne le pensiez. Pendant que vous vous entêtez à poursuivre une opportunité qui n'en vaut pas la peine, vous risquez de rater une bonne occasion. Réévaluez constamment votre position en vous disant que vous n'avez pas à persévérer dans une voie qui ne vous mènera manifestement pas là où vous voulez aller.

Examinez régulièrement vos objectifs d'un regard neuf. Demandez-vous: « Est-ce que je penserais toujours qu'il s'agit d'une bonne idée si j'avais à tout recommencer à zéro, sachant ce que je sais aujourd'hui? »

Quand on reste assis on se fait écraser tôt ou tard, même si on est sur la bonne route.

WILL ROGERS

La passion et la vision d'un leader ne sont rien sans l'action. Il est certes important de se fixer des objectifs et d'élaborer un plan qui nous permettra de les atteindre, mais ce n'est là qu'une première étape. On ne peut pas faire des plans pour attendre ensuite que les choses se fassent d'elles-mêmes: il faut soi-même mettre les choses en branle.

Pour vous épanouir, vous devez vivre votre passion et non vous contenter d'y penser ou d'en rêver.

Qu'avez-vous fait dernièrement pour réaliser vos ambitions? Quels sont les obstacles qui vous empêchent de pourchasser vos rêves? Que pouvez-vous faire pour mettre les choses en marche?

Tout tourne pour le mieux quand on fait de son mieux avec la tournure des événements.

HUBERT HUMPHREY

La vie a le don de nous compliquer la vie. Même quand on planifie tout soigneusement, des circonstances indépendantes de notre volonté entrent en jeu pour venir brouiller les cartes. En pareil cas, la seule chose que l'on peut contrôler est la manière dont on réagit à l'événement inattendu.

Comment réagissez-vous aux bonnes et aux mauvaises surprises que la vie vous réserve ? Avec la bonne énergie et la bonne attitude, on peut faire quelque chose de positif même dans les pires circonstances. Il y a toujours des leçons à tirer des situations inattendues où les choses ne se déroulent pas comme prévu.

Vous connaissez sans doute l'expression : « Quand la vie vous donne des citrons, faites de la limonade. » Tournez les pires situations à votre avantage en restant positif. C'est votre état d'esprit qui compte ici.

Il y a des choses qu'on peut accomplir en sautant délibérément dans la direction opposée. Il faut parfois partir au loin pour retrouver le foyer que l'on a perdu.

FRANZ KAFKA

Bien que le *statu quo* soit une énergie statique fort attirante, vous ne pourrez pas maintenir votre succès en gardant les choses comme elles le sont. Si les gens que vous dirigez font pression sur vous pour que vous continuiez de fonctionner comme vous le faites présentement, c'est parce qu'ils craignent de perdre leur poste si l'entreprise évolue. Vous devez malgré cela vous employer à explorer de nouveaux sentiers, sachant que votre rendement diminuera peu à peu si vous continuez toujours dans la même direction.

Pour conscientiser vos gens face à la nécessité du changement, amenez-les à voir votre organisation de l'extérieur, tels des observateurs, plutôt que de l'intérieur – ce qui est plus sécurisant. Insistez sur la nécessité de s'engager dans des directions qui peuvent être à l'opposé de celles que vous empruntez actuellement.

Prenez comme point de référence des entreprises qui ont établi de nouveaux standards d'excellence et d'innovation. Inspirez-vous d'organisations qui œuvrent dans des domaines différents du vôtre. Formez une équipe qui aura pour mandat d'analyser les méthodes de ces entreprises.

Je ne peux pas travailler sans modèle.

VINCENT VAN GOGH

Les leaders et les peintres ont beaucoup en commun. Ils ont tous deux une vision de ce qu'ils veulent créer. Ils travaillent tous deux à partir de concepts abstraits qu'ils élaborent dans leur esprit et concrétisent ensuite dans la réalité. À l'instar des peintres, les leaders ont besoin de modèles, d'exemples tangibles sur lesquels ils se basent pour façonner des produits à l'image de leur vision du monde.

Inspirez-vous librement des méthodes de d'autres leaders. Au lieu de calquer trait pour trait les pratiques d'un leader en particulier, empruntez les meilleurs éléments de différentes méthodes et amalgamez-les pour créer une façon de faire qui vous est propre. Restez fidèle à vous-même tout en adaptant les méthodes et les comportements des leaders que vous admirez.

Renseignez-vous sur les méthodes des grands leaders en lisant des livres, des biographies et des périodiques. Quand un leader que vous admirez donne une conférence, allez-y. Cela vous permettra de le voir en action et peut-être même de faire sa connaissance.

Ressentir de la peur est une chose. Se laisser manipuler par elle en est une autre.

KATHERINE PATERSON

Qu'elle soit acquise ou instinctuelle, la peur est une manifestation tout à fait normale. Elle peut être bénéfique en ce sens qu'elle peut nous protéger de certains dangers. Le danger provoque en nous des réactions chimiques qui aiguisent nos sens et nous rendent plus conscient de ce qui se passe autour de nous. Nous mettant ainsi en état d'alerte, la peur peut nous empêcher de prendre des risques inutiles.

La peur devient notre ennemie quand elle se fait irrationnelle, quand elle nous amène à nous préoccuper des risques et des problèmes potentiels d'une situation au point qu'elle nous empêche d'agir. Quand elle se fait paralysante, la peur cesse d'être notre amie.

Il serait dangereux de radier complètement la peur de notre vie, mais il ne faut pas non plus se laisser dominer par elle. Nos peurs sont comme des balises qui nous aident à analyser une situation, à l'appréhender par la logique, mais aussi par les émotions. Au bout du compte, ce doit être votre esprit rationnel qui décide si vous devez agir ou non.

Chaque fois que vous hésitez à prendre une décision, demandez-vous si la peur n'a pas un rôle à jouer dans vos atermoiements. Si c'est le cas, déterminez si votre peur est justifiée. Si elle l'est, révisez la situation pour diminuer l'élément de risque ; si elle ne l'est pas, passez à l'étape suivante.

Ma vie est un message.

MAHATMA GANDHI

Bon nombre de leaders croient qu'ils sont de grands communicateurs simplement parce qu'ils sont capables d'articuler clairement leurs idées et leur vision. C'est là un élément fondamental d'une communication efficace, mais c'est loin d'être le plus important. La communication ne puise pas son essence dans la parole, mais dans l'action.

Votre vision devient plus claire et attrayante aux yeux des autres dès l'instant où vous en faites une partie visible de vous-même. Pour gagner le respect et la coopération d'autrui, vous devez allier le geste à la parole. Il en va de même de vos valeurs: pour être crédible aux yeux des gens, vous devez mettre vos valeurs en pratique et non simplement les énoncer. Les mots sonnent creux quand ils ne trouvent pas résonance dans l'action. Faites de votre vie un message... et les autres se rallieront d'emblée à vos rêves.

Analysez vos comportements pour voir s'ils sont en accord avec la mission et la vision de votre organisation. Si votre conduite ne coïncide pas avec la mission explicite de votre entreprise, rectifiez la situation. Il est impératif que vous changiez, sinon les gens que vous dirigez se mettront à suivre votre exemple et c'est alors la vocation même de votre organisation qui risque d'être faussée.

SEMAINE 50

VENDREDI

La tolérance envers les erreurs, l'ambiguïté et particulièrement la diversité, conjuguée à un bon sens de l'humour et des proportions, sont les nécessités de notre survie tout au long du prochain millénaire.

ALVIN ET HEIDI TOFFLER

Nous vivons dans une des périodes les plus captivantes de l'histoire, une période riche en opportunités de toutes sortes. Ce que les gens veulent aujourd'hui, c'est suivre des leaders visionnaires avec lesquels ils pourront bâtir l'avenir.

Votre rôle de leader vous confère de grandes responsabilités. Chaque opportunité qui se présente à vous soulève de nouveaux problèmes et de nouveaux défis. Or, personne n'a solution à tous ces problèmes; personne n'a réponse à toutes les questions. Le futur n'est pas prédestiné, aussi est-ce un long, mais stimulant périple qui nous attend. Faites-le dans l'amour, l'espoir et la joie. Donnez libre cours à votre esprit aventureux, mais en conservant toujours votre équilibre et votre intégrité. Soyez passionné dans tout ce que vous faites. N'oubliez pas que des tas de gens comptent sur vous.

Gardez toujours votre curiosité et votre sens de l'émerveillement. N'agissez pas comme si vous aviez déjà atteint votre destination finale. Quand un rêve se réalise, un autre vient bientôt lui succéder.

Le travail d'un administrateur ne consiste pas à appliquer une formule, mais à élaborer des solutions en se basant sur chaque cas spécifique. En ce qui concerne le processus décisionnel, aucune règle rigide ne peut se substituer à un jugement sain.

ALFRED P. SLOAN JUNIOR

À l'ère de la hiérarchie et de la bureaucratie, il était courant d'appliquer des règles strictes en affaire. Ces règles avaient pour objectif de contrôler les effectifs tout en réservant le processus décisionnel à une poignée d'individus. Bien que ces méthodes et ces structures organisationnelles n'aient pas complètement disparu, nous savons aujourd'hui qu'il existe de bien meilleures façons de diriger une entreprise.

Les travailleurs sont plus éduqués maintenant qu'ils ne l'étaient autrefois. La demande pour des produits et services personnalisés a transformé le rapport entre les compagnies et leur clientèle. Les entreprises qui réussissent le mieux sont celles qui partagent l'information et les responsabilités à tous les niveaux de l'organisation. Dans ce type d'environnement, les gens sont appelés à réévaluer constamment les règles du jeu. Chaque individu doit être habilité à changer les règles au besoin, soit pour satisfaire le client, soit pour rendre l'organisation plus profitable et plus efficace.

Déléguez des pouvoirs à vos collaborateurs et encouragez-les à remettre les règles bureaucratiques en question quand cela peut faire avancer les choses. Faites en sorte que vos gens aient les compétences nécessaires pour bien faire leur travail ; cela vous permettra de vous consacrer à la gestion des procédés plutôt qu'à celle des politiques.

Avant l'ère des réunions, des procédés de planification et autres techniques de ce genre, les gens s'assoyaient ensemble et discutaient. Chacun s'intéressait à ce que l'autre avait à lui dire. Lorsqu'on songe à amorcer une conversation, on peut s'enhardir du fait qu'il s'agit d'un processus que nous connaissons tous. En conversant, nous faisons renaître une pratique fort ancienne.

MARGARET J. WHEATLEY

Vos employés et vos collaborateurs ont besoin que vous les dirigiez, que vous leur livriez franchement vos impressions et que vous montriez que vous vous souciez d'eux, tant au plan personnel que professionnel. La plupart des entreprises s'acquittent de ces responsabilités via des systèmes de gestion du rendement. Bien peu de gens apprécient ces procédés, dont l'efficacité est discutable. D'aucuns vous diront qu'il est insuffisant de se réunir une ou deux fois par année pour discuter des objectifs d'une entreprise et du rendement de ses employés.

Vos collaborateurs ont besoin de contacts fréquents avec vous, sans quoi ils ne sauront pas s'ils répondent à vos attentes. La plupart des gens préfèrent discuter librement de leurs préoccupations immédiates plutôt que d'avoir à subir une évaluation officielle.

Faites chaque jour le tour de vos bureaux pour discuter directement avec vos gens. Questionnez-les au sujet des projets sur lesquels ils travaillent. Voyez s'ils ont besoin de quoi que ce soit ou s'il y a des choses qui affectent leur performance.

La honte n'a jamais mené au changement.

Robin Smith

Tout changement nécessite une acclimatation intellectuelle et émotionnelle de la part de l'individu. De plus, tout individu s'acclimatera à un changement donné à son propre rythme. Même si vous croyez qu'il y a urgence, vous ne pouvez pas contrôler la vitesse à laquelle vos collaborateurs accepteront les changements que vous préconisez.

Ce que vous pouvez faire, par contre, c'est aider les gens à se pencher sur les changements proposés pour réfléchir à leurs conséquences. Vous pouvez aussi les guider à travers la panoplie d'émotions que ces changements suscitent en eux, jusqu'à ce que leur déni, leur consternation, leur colère, leur peur ou leur résistance initiale cède le pas à l'enthousiasme et à l'espoir. Informez les gens des raisons qui motivent ces changements et du rôle qu'ils joueront dans leur mise en œuvre. Faites en sorte que vos gens puissent répondre de façon positive aux questions: Pourquoi devrais-je aider l'entreprise à instaurer ces changements? Qu'est-ce que j'ai à y gagner? Vos changements seront plus faciles à implanter si vos employés sont impliqués dans le processus.

Impliquez vos gens dans la conception des stratégies de changement de l'entreprise, ainsi que dans leur application. Permettez-leur de participer à la planification des changements proposés au lieu de monopoliser à vous seul le processus.

La vérité et les faits sont deux choses bien différentes en ce sens que les faits occultent parfois la vérité.

MAYA ANGELOU

Vous est-il déjà arrivé de proférer des accusations à tort parce que vous aviez interprété incorrectement certaines données ou certains faits qui laissaient présager un problème de rendement ? Les fausses accusations de ce genre peuvent nuire énormément aux relations que vous entretenez avec vos employés.

Les problèmes de rendement sont presque toujours accompagnés de circonstances atténuantes ; essayez de savoir en quoi elles consistent avant de chercher à rectifier la situation ou avant d'amorcer des mesures punitives. La maladie, les problèmes familiaux, le manque de personnel, une formation inadéquate ou des problèmes informatiques peuvent être à la source du malentendu. N'acceptez pas n'importe quelle excuse d'un travailleur qui cherche à expliquer une piètre performance, mais ne tirez pas de conclusions avant d'avoir entendu son point de vue ou sa version des faits.

Donnez à vos collaborateurs le bénéfice du doute : persistez à croire qu'ils veulent faire du bon travail jusqu'à ce qu'ils vous fassent preuve du contraire. Restez calme quand il y a un pépin. Abordez les discussions qui portent sur les problèmes de rendement avec patience et empathie, sans porter de jugement sur la personne concernée.

C'est le chameau qui est à l'avant qui ralentit la caravane, mais ce sont ceux qui sont à l'arrière qui se font battre.

PROVERBE ÉTHIOPIEN

Blâmer n'est pas une bonne façon d'exercer son leadership, particulièrement dans un environnement où l'on tolère que les gens condamnent les autres à tort ou de façon aléatoire.

Au sein d'une entreprise, on doit toujours identifier la cause fondamentale d'un problème donné. Une erreur ou un problème est parfois causé par un individu en particulier, mais la plupart du temps ce sont des politiques et des procédures malavisées, ou encore des lacunes de la structure ou du système qui sont les grands responsables.

C'est vous qui donnez l'exemple à vos troupes quant à la façon d'aborder les problèmes; si vous vous emportez ou faites preuve d'impatience quand vient le temps d'identifier la cause d'un problème, vos collaborateurs vous imiteront lorsque confrontés à pareille situation. Ce genre d'attitude cause plus de problèmes qu'elle n'en résout. Montrez à vos collaborateurs que votre priorité est de régler chaque problème qui se présente, et non de trouver un bouc émissaire.

Soyez patient quand il s'agit d'identifier la cause d'un problème. Prenez le temps d'étudier la question à fond au lieu de tirer hâtivement des conclusions.

SEMAINE 52

LUNDI

Il ne suffit pas d'avoir du charisme ou la parole facile pour être un bon leader. Il ne suffit pas non plus d'influencer les gens et de s'en faire des amis – ceci n'est que flatterie. Le vrai leadership vise à élever la vision et la performance de l'individu pour l'amener à se dépasser.

PETER DRUCKER

On dit que ce sont les autres qui nous motivent, mais c'est faux. En vérité, la motivation nous vient de l'intérieur. On peut par contre inspirer les autres à trouver en eux le désir d'exceller.

Parlez continuellement de la valeur du travail que vous faites. Soyez précis quand vous parlez des buts et des priorités de votre organisation ou du rôle des individus qui ont la responsabilité de mettre en œuvre ces buts et ces priorités. Le charisme est moins important pour le leader que la capacité d'exposer ses projets et ses intentions avec clarté et conviction.

Donnez-vous comme priorité d'informer les gens des opportunités qu'ils ont de contribuer au succès de votre organisation. Prenez le temps de transmettre les messages de ce genre même quand vous êtes très occupé.

Qu'est-ce qu'on doit faire quand un rêve s'impose à nous? Eh bien, on doit le suivre, l'écouter, se laisser submerger par lui, sinon on risque de passer le reste de sa vie à songer à ce qu'on aurait pu faire.

PATCH ADAMS

Quand on a un rêve, il faut croire dur comme fer qu'il peut devenir réalité. Mais pour qu'un rêve se réalise, il faut travailler et faire les démarches nécessaires pour, de là où l'on est, se rendre là où l'on veut aller.

La première chose qu'on doit faire quand on veut réaliser un rêve, c'est se débarrasser de ses peurs et de ses incertitudes. Ensuite, il faut plonger. Vous n'arriverez à rien si vous attendez d'avoir une garantie absolue ou un échéancier strict avant de commencer. Les rêves ne viennent pas avec une garantie. La seule certitude qu'ils procurent, c'est que vous ne saurez jamais ce que vous auriez pu accomplir si vous ne travaillez pas à les concrétiser. Il vaut mieux partir à la conquête d'un rêve et manquer son coup que de n'avoir jamais essayé.

Ne sous-estimez pas ce que vous pouvez accomplir et ne surestimez pas l'effort que vous aurez à faire pour arriver à vos fins. Élaborez un plan d'action, puis allez-y étape par étape.

L'intégrité sans le savoir est un concept mièvre et inutile.
Le savoir sans l'intégrité est une chose terrifiante et dangereuse.

SAMUEL JOHNSON

Le savoir et l'intégrité sont les biens les plus précieux dont on puisse disposer en affaires.

Le savoir collectif de vos employés est le fondement même de votre entreprise. L'intégrité est l'ingrédient qui vous permet d'avoir confiance en vos collaborateurs et de partager librement avec eux l'information nécessaire au développement de l'entreprise. Pour que la confiance règne au sein de vos troupes, vous devez récompenser les gens qui développent leurs connaissances personnelles et en usent avec intégrité. L'entreprise qui veut réussir aujourd'hui doit surpasser ses compétiteurs en termes de connaissances, mais elle doit aussi disposer d'une équipe qui applique ses compétences avec la plus haute intégrité.

La prochaine fois que votre compagnie célébrera un succès financier, rappelez aux membres de votre équipe que le savoir et l'intégrité, même s'ils ne peuvent être quantifiés, sont deux ingrédients essentiels à votre réussite.

Les meilleurs leaders sont ceux dont on ne soupçonne pas l'existence. Les leaders moyens sont ceux que les gens louent et honorent. Les mauvais leaders sont craints ; les pires sont détestés. Quand un bon leader finit son travail, les gens disent : « Nous l'avons fait nous-mêmes ! »

LAO-TSEU

Quand votre entreprise connaît une réussite, est-il important qu'on vous en attribue le mérite ou êtes-vous pleinement satisfait de savoir que vous avez rempli votre mission de leadership ?

Une des choses les plus importantes qu'un leader puisse faire, c'est donner aux autres la capacité de réussir. Donnez à vos collaborateurs les ressources et les compétences dont ils ont besoin pour bien faire leur travail. Confiez-leur des responsabilités et donnez-leur l'autorité d'agir et de prendre des décisions. Informez-les de ce qui doit être fait, puis laissez-les procéder comme ils l'entendent. Vous contribuerez ainsi à leur épanouissement.

Assurez-vous que votre ego, votre salaire et vos avantages marginaux ne soient pas disproportionnés en regard des contributions de vos collaborateurs.

L'amour de ce que vous faites ne doit pas faire obstacle à l'amour que vous portez à vos semblables. Les gens que vous aimez ne seront pas toujours dans votre vie.

DON LUCE

On mentionne rarement l'amour quand on parle des valeurs que doit avoir un leader. Cette omission vient peut-être du fait qu'on peut être efficace tout en faisant abstraction de ce noble sentiment. On travaille de longues heures. On gère des crises. On abat une quantité phénoménale de boulot. Bref, on est si occupé qu'on oublie parfois le rôle que l'amour joue tant dans notre vie privée que dans notre vie professionnelle.

Les gens que vous aimez ne seront pas toujours là. Certains partiront au loin; d'autres mourront. Appréciez-les pendant qu'il en est encore temps. Aimez-les de façon inconditionnelle, car leurs défauts n'ont d'égaux que les vôtres. Accueillez les gens dans votre vie à bras ouverts, puis gardez-les auprès de vous. Chérissez-les et ils vous chériront en retour. L'amour confère une dimension supplémentaire à l'existence; il donne un sens à tout ce que l'on fait, incluant le travail.

Contactez des personnes que vous avez perdues de vue. Appelez-les, visitez-les, donnez-leur rendez-vous. Trouvez des façons de leur montrer combien elles sont importantes pour vous.

Achevé d'imprimer au Canada
sur papier Quebecor Enviro 100 % recyclé
sur les presses de Quebecor World Saint-Romuald